SHOAH

CLAUDE LANZMANN

Shoah

PRÉFACE DE SIMONE DE BEAUVOIR

FAYARD

La mémoire de l'horreur

Il n'est pas facile de parler de *Shoah*. Il y a de la magie dans ce film, et la magie ne peut pas s'expliquer. Nous avons lu, après la guerre, des quantités de témoignages sur les ghettos, sur les camps d'extermination; nous étions bouleversés. Mais, en voyant aujourd'hui l'extraordinaire film de Claude Lanzmann, nous nous apercevons que nous n'avons rien su. Malgré toutes nos connaissances, l'affreuse expérience restait à distance de nous. Pour la première fois, nous la vivons dans notre tête, notre cœur, notre chair. Elle devient la nôtre. Ni fiction ni documentaire, *Shoah* réussit cette re-création du passé avec une étonnante économie de moyens : des lieux, des voix, des visages. Le grand art de Claude Lanzmann est de faire parler les lieux, de les ressusciter à travers les voix, et, par-delà les mots, d'exprimer l'indicible par des visages.

Les lieux. Un des grands soucis des nazis a été d'effacer toutes les traces; mais ils n'ont pas pu abolir toutes les mémoires et, sous les camouflages – de jeunes forêts, l'herbe neuve –, Claude Lanzmann a su retrouver les horribles réalités. Dans cette prairie verdoyante, il y avait des fosses en forme d'entonnoir où des camions déchargeaient les Juifs asphyxiés pendant le trajet. Dans cette rivière si jolie, on jetait les cendres des cadavres calcinés. Voici les fermes paisibles d'où les paysans polonais pouvaient entendre et même voir ce qui se passait dans les camps. Voici les villages aux belles maisons anciennes d'où toute la population juive a été déportée.

Claude Lanzmann nous montre les gares de Treblinka, d'Auschwitz, de Sobibor. Il foule de ses pieds les « rampes », aujourd'hui couvertes d'herbe, d'où des centaines dc milliers de victimes étaient chassées vers la chambre à gaz. Pour moi, une des plus déchirantes de ces images, c'est celle qui représente un entassement de valises, les unes modestes, d'autres plus luxueuses, toutes portant des noms et des adresses. Des mères y avaient soigneusement rangé du lait en poudre, du talc, de la Blédine. D'autres, des vêtements, des vivres, des médicaments. Et nul n'a eu besoin de rien.

Les voix. Elles racontent; et pendant la plus grande partie du film, elles disent toutes la même chose : l'arrivée des trains, l'ouverture des wagons d'où s'écroulent des cadavres, la soif, l'ignorance trouée de peur, le déshabillage, la « désinfection », l'ouverture des chambres à gaz. Mais pas un instant nous n'avons l'impression de redite. D'abord à cause de la différence des voix. Il y a celle, froide, objective — avec à peine au début quelques frémissements d'émotion —, de Franz Suchomel, le SS Unterscharführer de Treblinka; c'est lui qui fait l'exposé le plus précis, le plus détaillé de l'extermination de chaque convoi. Il y a la voix un peu troublée de certains Polonais : le conducteur de locomotive que les Allemands soutenaient à la vodka, mais qui supportait mal les cris des enfants assoiffés; le chef de gare de Sobibor, inquiet du silence tombé soudain sur le camp proche.

Mais, souvent, les voix des paysans sont indifférentes ou même un peu goguenardes. Et puis il y a les voix des très rares survivants juifs. Deux ou trois ont conquis une apparente sérénité. Mais beaucoup supportent à peine de parler; leurs voix se brisent, ils fondent en larmes. La concordance de leurs récits ne lasse jamais, au contraire. On pense à la répétition voulue d'un thème musical ou d'un leitmotiv. Car c'est une composition musicale qu'évoque la subtile construction de *Shoah* avec ses moments où culmine l'horreur, ses paisibles paysages, ses lamentos, ses plages neutres. Et l'ensemble est rythmé par le fracas presque insoutenable des trains qui roulent vers les camps.

Visages. Ils en disent souvent bien plus que des mots. Les paysans polonais affichent de la compassion. Mais la plupart semblent indifférents, ironiques ou même satisfaits. Les visages des Juifs s'accordent avec leurs paroles. Les plus curieux sont les visages allemands. Celui de Franz Suchomel reste impassible, sauf lorsqu'il chante une chanson à la gloire de Treblinka et que ses yeux s'allument. Mais chez les autres l'expression gênée, chafouine, dément leurs protestations d'ignorance, d'innocence.

Une des grandes habiletés de Claude Lanzmann a été en effet de nous raconter l'Holocauste du point de vue des victimes, mais aussi de celui des « techniciens » qui l'ont rendu possible et qui refusent toute responsabilité. Un des plus caractéristiques, c'est le bureaucrate qui organisait les transports. Les trains spéciaux, explique-t-il, étaient mis à la disposition des groupes qui partaient en excursion ou en vacances et qui payaient demi-tarif. Il ne nie pas que les convois dirigés vers les camps étaient aussi des trains spéciaux. Mais il prétend n'avoir pas su que les camps signifiaient l'extermination. C'était, pensait-il, des camps de travail où les plus faibles mouraient. Sa physionomie gênée, fuyante, le contredit quand il plaide l'ignorance. Un peu plus tard, l'historien Hilberg nous apprend que les Juifs « transférés » étaient assimilés à des vacanciers par l'agence de voyages et que les Juifs, sans le savoir, autofinançaient leur déportation, puisque la Gestapo la payait avec les biens qu'elle leur avait confisqués.

Un autre exemple saisissant du démenti opposé aux mots par un visage, c'est celui d'un des « administrateurs » du ghetto de Varsovie : il voulait aider le ghetto à survivre, le préserver du typhus, affirme-t-il. Mais aux questions de Claude Lanzmann il répond en balbutiant, ses traits se décomposent, son regard fuit, il est en plein désarroi.

La construction de Claude Lanzmann n'obéit pas à un ordre chronologique, je dirais — si on peut employer ce mot à propos d'un tel sujet — que c'est une construction poétique. Il faudrait un travail plus poussé que celui-ci pour indiquer les résonances, les symétries, les asymétries, les harmonies sur lesquelles elle repose. Ainsi s'explique que le ghetto de Varsovie ne soit décrit qu'à la fin du film, quand nous connaissons déjà l'implacable destin des emmurés. Là non plus le récit n'est pas univoque : c'est une cantate funèbre à plusieurs voix, adroitement entrelacées. Karski, alors courrier du gouvernement polonais en exil, cédant aux prières de deux importants responsables juifs, visite le ghetto pour apporter au monde son témoignage (en vain d'ailleurs). Il ne voit que l'affreuse inhumanité de ce monde agonisant. Les rares survivants de la révolte, écrasée par les bombes allemandes, parlent au contraire des efforts faits pour préserver l'humanité de cette communauté condamnée. Le grand historien Hilberg discute longuement avec Lanzmann sur le suicide de Czerniakow, qui avait cru pouvoir aider les Juifs du ghetto et qui a perdu tout espoir le jour de la première déportation.

La fin du film est, à mes yeux, admirable. Un des rares rescapés de la révolte se retrouve seul au milieu des ruines. Il dit qu'il connut alors une sorte de sérénité, en pensant : « Je suis le dernier des Juifs et j'attends les Allemands. » Et aussitôt nous voyons rouler un train qui emporte une nouvelle cargaison vers les camps.

Comme tous les spectateurs, je mêle le passé et le présent. J'ai dit que c'est dans cette confusion que réside le côté miraculeux de *Shoah*. J'ajouterai que jamais je n'aurais imaginé une pareille alliance de l'horreur et de la beauté. Certes, l'une ne sert pas à masquer l'autre, il ne s'agit pas d'esthétisme : au contraire, elle la met en lumière avec tant d'invention et de rigueur que nous avons conscience de contempler une grande œuvre. Un pur chef-d'œuvre.

SIMONE DE BEAUVOIR.

AVANT-PROPOS

JE présente ici au lecteur le texte intégral – paroles et sous-titres – de mon film, *Shoah*. Les langues que je n'entendais pas, comme le polonais, l'hébreu ou le yiddish, sont traduites en français dans le corps même du film, les interprètes – Barbara Janicka, Francine Kaufmann, Mme Apfelbaum – étant elles-mêmes présentes à l'image. J'ai respecté absolument leur mode d'interprétation et, au mot près, leurs hésitations, leurs redites, toutes les béquilles du langage parlé. Je n'ai pas non plus épuré mes propres interventions. Quand, au contraire, les protagonistes et moi-même pouvions nous entretenir en allemand et en anglais, sans le truchement d'une traductrice, notre dialogue a été sous-titré pour les spectateurs du film et ce sont les sous-titres, établis avec moi par Odette Audebau-Cadier et Irith Leker, qu'on lira ici.

Le sous-titrage a commandé la disposition typographique de ce livre : les sous-titres, dans leur ordre d'apparition et de succession à l'écran, doivent épouser étroitement la parole, mais ne sont jamais *toute* la parole. Le nombre de signes autorisés peut se modifier considérablement d'un sous-titre à l'autre selon que le locuteur est apaisé ou s'emporte, selon qu'il accélère ou ralentit son débit, le temps de déchiffrement et de lecture demeurant, lui, invariant. Le visage de celui qui parle, sa mimique, ses gestes, l'image en un mot est le support naturel du sous-titre, son incarnation, puisque celui-ci doit, idéalement, non pas précéder ou suivre la parole, mais coïncider avec elle, advenir à l'instant même de son surgissement. Le meilleur sous-titre satisfait ainsi à la fois celui qui, maîtrisant parfaitement la langue étrangère sous-titrée, pourrait s'en passer et celui qui, n'en saisissant que quelques mots, a pourtant grâce à lui l'illusion de la comprendre tout entière. Autrement dit, se fait oublier. A l'écran, le sous-titre naît et meurt à peine né, suivi immédiatement d'un autre qui vit de la même façon sa courte vie. Chacun d'eux fulgure sous notre regard, renvoyé au néant aussitôt qu'apparu et c'est le nombre de signes alloué à la fois par le temps de lecture et le passage d'un plan à un autre qui détermine la longueur de la phrase, sa coupe finale, la plupart du temps violente, puisque c'est la cascade ininterrompue des paroles qui prononce brutalement l'arrêt de mort du sous-titre.

A l'écran donc, les sous-titres sont l'inessentiel. Les rassembler au contraire en un livre, inscrire page après page cette succession d'instants purs qui maintient dans le film la scansion imposée par l'ordre filmique, les fait passer au contraire de l'inessentiel à l'essentiel, leur confère soudain un autre statut, une autre dignité et comme un sceau d'éternité. Ils ont à exister seuls, à se défendre seuls, sans une indication de mise en scène, sans une image, sans un visage, sans un paysage, sans une larme, sans un silence, sans les neuf heures trente de cinéma qui constituent *Shoah*.

Incrédule, je lis et relis ce texte exsangue et nu. Une force étrange le traverse de part en part, il résiste, il vit de sa vie propre. C'est l'écriture du désastre et c'est pour moi un autre mystère.

CLAUDE LANZMANN.

Et je leur donnerai un nom impérissable.

Isaïe, 56, 5.

PREMIER FILM

*L'action commence de nos jours
à Chelmno-sur-Ner, Pologne.
A 80 kilomètres au nord-ouest de Lodz,
au cœur d'une région autrefois à fort
peuplement juif, Chelmno fut en Pologne
le site de la première extermination
de Juifs par le gaz. Elle débuta
le 7 décembre 1941. 400000 Juifs
furent assassinés à Chelmno en deux
périodes distinctes : décembre 1941 -
printemps 1943; juin 1944 - janvier 1945.
Le mode d'administration de mort
demeura jusqu'à la fin identique :
les camions à gaz.*

*Sur les 400000 hommes, femmes et
enfants qui parvinrent en ce lieu,
on compte deux rescapés : Mordechaï
Podchlebnik et Simon Srebnik.
Simon Srebnik, survivant de la dernière
période, était alors un enfant de
treize ans et demi. Son père avait été
abattu sous ses yeux, au ghetto de
Lodz, sa mère asphyxiée dans les*

camions de Chelmno. Les SS l'enrôlèrent dans un des commandos de « Juifs du travail », qui assuraient la maintenance des camps d'extermination et étaient eux-mêmes promis à la mort.

Les chevilles entravées, comme tous ses compagnons, l'enfant traversait chaque jour le village de Chelmno. Il dut d'être épargné, plus longtemps que les autres, à son agilité extrême, qui lui faisait gagner les compétitions que les nazis organisaient entre ces enchaînés, concours de saut ou de vitesse. Et aussi à sa voix mélodieuse : plusieurs fois par semaine, quand il fallait nourrir les lapins de la basse-cour SS, Simon Srebnik, surveillé par un garde, remontait la Ner sur une embarcation à fond plat, jusqu'aux confins du village, vers les prairies de luzerne. Il chantait des airs du folklore polonais et le garde en retour l'instruisait de rengaines militaires prussiennes. Tous à Chelmno le connaissaient. Les paysans polonais, mais aussi les civils allemands, puisque cette province de Pologne avait été annexée au Reich dès la chute de Varsovie, germanisée et rebaptisée Wartheland. On avait ainsi changé Chelmno en Kulmhof, Lodz en Litzmannstadt, Kolo en Warthbrücken, etc. Des colons allemands s'étaient établis prtout dans le Wartheland, et à Chelmno même existait une école primaire allemande.

Dans la nuit du 18 janvier 1945
deux jours avant l'arrivée des troupes
soviétiques, les nazis tuèrent d'une
balle dans la nuque les derniers
« Juifs du travail ». Simon Srebnik fut
exécuté lui aussi. La balle ne toucha
pas les centres vitaux. Revenu à lui,
il rampa jusqu'à une soue à cochons.
Un paysan polonais le recueillit.
Un médecin-major de l'Armée Rouge
le soigna, le sauva. Quelques mois
plus tard, Simon partit pour Tel-Aviv
avec d'autres survivants.
C'est en Israël que je l'ai découvert.
J'ai convaincu l'enfant chanteur
de revenir avec moi à Chelmno.
Il avait 47 ans.

> *Une petite maison blanche*
> *reste dans ma mémoire.*
> *De cette petite maison blanche*
> *chaque nuit je rêve.*

Paysans de Chelmno.

Il avait treize ans et demi.
Il avait une belle voix, il chantait d'une façon très belle,
et on l'entendait.

> *Une petite maison blanche*
> *reste dans ma mémoire.*
> *De cette petite maison blanche*
> *chaque nuit je rêve.*

Quand je l'ai réentendu chanter aujourd'hui, mon cœur a battu beaucoup plus fort,
parce que ce qui s'est passé ici, c'était un meurtre.
J'ai vraiment revécu ce qui s'est passé.

Simon Srebnik.

Difficile à reconnaître, mais c'était ici.
Ici, on brûlait les gens.
Beaucoup de gens ont été brûlés ici.
Oui, c'est le lieu.

Personne n'en repartait jamais.

Les camions à gaz arrivaient là...
Il y avait deux immenses fours...
et ensuite, on jetait les corps dans ces fours,
et les flammes montaient jusqu'au ciel.

Jusqu'au ciel?

Oui.
C'était terrible.

On ne peut pas raconter ça.
Personne ne peut
se représenter ce qui s'est passé ici.
Impossible. Et personne ne peut comprendre cela.
Et moi-même, aujourd'hui...

Je ne crois pas que je suis ici.
Non, cela, je ne peux pas le croire.
C'était toujours aussi tranquille, ici. Toujours.
Quand on brûlait chaque jour 2000 personnes, des Juifs,
c'était également tranquille.
Personne ne criait. Chacun faisait son travail.
C'était silencieux. Paisible.
Comme maintenant.

Toi, jeune fille, ne pleure pas,
ne sois pas si triste,
car le cher été approche...
et avec lui je reviendrai.
Une chopine de rouge, une tranche de rôti,
c'est ce que les jeunes filles...
offrent à leurs soldats.
Quand les soldats défilent,
les jeunes filles ouvrent...
leurs portes et leurs fenêtres.

Paysans de Chelmno.

Ils pensaient que les Allemands l'ont fait exprès, qu'il chante sur la rivière.

C'était un jouet pour les amuser.
Il était obligé de faire ça.
Il chantait, mais le cœur pleurait.
Et est-ce que leur cœur à eux pleure,
quand ils repensent à ça ?
Bien sûr, beaucoup.
Quand la famille se rassemble, ils en parlent encore, autour de la table.
Parce que c'était public,
à côté de la rue, tout le monde le savait.

C'était vraiment l'ironie des Allemands,
ils tuaient les gens, mais lui, il était obligé de chanter.
C'est ce que je pensais.

L'autre survivant, Mordechaï Podchlebnik (Israël).

Qu'est-ce qui est mort en lui à Chelmno ?
Tout est mort.
Tout est mort, mais on n'est qu'un homme, et on veut vivre.
Alors, il faut oublier.
Il remercie Dieu de ce qui est resté et qu'il oublie.
Et qu'on ne parle pas de ça.
Est-ce qu'il trouve que c'est bien d'en parler ?
C'est pas bien, pour moi c'est pas bien.
Alors, pourquoi en parle-t-il quand même ?
Il parle, parce que maintenant il est bien obligé de parler,
mais il a reçu des livres sur le procès Eichmann,
où il était un témoin,
et il ne les lit même pas.
Est-ce qu'il a survécu comme vivant ou...
Quand il était sur place,
il a vécu ça comme un mort,
parce qu'il n'a jamais pensé qu'il survivrait,
mais il est vivant.
Pourquoi est-ce qu'il sourit tout le temps ?
Qu'est-ce que vous voulez qu'il fasse, qu'il pleure ?
Une fois on sourit, une fois on pleure.
Et quand on vit,
il vaut mieux sourire...

Hanna Zaïdl, fille de Motke Zaïdl (Israël), survivant de Vilna.

Pourquoi a-t-elle été tellement curieuse de cette histoire ?
C'est une très longue histoire.
Je sais que lorsque j'étais une toute petite fille,
j'avais très peu de contacts avec mon père.

D'abord, il travaillait à l'extérieur,
je le voyais assez peu,
et puis c'était un homme silencieux, il ne me parlait pas.
Et puis, lorsque j'ai grandi, que j'ai eu la force d'être face à lui,
je l'ai questionné, encore questionné,
toujours questionné,
jusqu'à ce que je réussisse à lui arracher
toutes ces bribes de vérité qu'il n'arrivait pas à me dire,
parce que, en réalité, il commençait à me répondre
par des moitiés de phrases,
il fallait vraiment que je lui arrache les détails,
et finalement, c'est lorsque M. Lanzmann est arrivé pour la première fois
que j'ai entendu, je crois, l'histoire dans sa totalité.

Motke Zaïdl et Itzhak Dugin, survivants de Vilna.

Tout l'endroit ressemble à Ponari,
la forêt, les fosses.
On dirait vraiment que c'est là que se brûlaient les corps.
La seule différence, c'est qu'à Ponari,
il n'y avait pas de pierres.

Mais les forêts de Lituanie,
c'est bien plus épais
que les forêts d'Israël, non ?

Bien sûr.
Oui, les arbres ressemblent,
mais là-bas, ils étaient plus hauts, et plus larges.

Jan Piworski (Sobibor).

Est-ce qu'on chasse aujourd'hui,
dans cette forêt de Sobibor?
Oui, on chasse toujours ici,
il y a beaucoup d'animaux de toutes sortes.
Est-ce qu'on chassait à l'époque?
Non, ici, à l'époque, on ne faisait
que la chasse à l'homme.

Il y avait des tentatives de fuite.
Mais les victimes connaissaient mal ce terrain.
De temps en temps, ils entendaient
des explosions sur le champ de mines,
et parfois, ils trouvaient un chevreuil,
et parfois, un malheureux Juif
qui essayait de s'enfuir.

C'est le charme de nos forêts, ce silence, cette beauté.

Mais je dois vous dire que ce silence
ne régnait pas toujours ici.
Il y avait une époque où, là où nous sommes,
c'était plein de cris, de coups de feu,
d'aboiements,
et c'est surtout cette période-là
qui est restée gravée dans la mémoire des gens
qui habitaient ici à cette époque.

Après la révolte, les Allemands ont décidé
de liquider le camp,
et au début de l'hiver 1943,
ils ont planté des petits sapins de trois ans,
quatre ans,
pour camoufler toutes les traces.

C'est ce rideau d'arbres?

Oui.

Tout ça, c'était l'emplacement des fosses communes?

Oui. Quand il est venu pour la première fois ici en 1944,
on ne pouvait pas se douter de ce qui s'était passé, ici.
On ne pouvait pas deviner
que ces arbres cachaient le secret d'un camp d'extermination.

Mordechaï Podchlebnik.

Qu'est-ce qui s'est passé pour lui
la première fois qu'il a déchargé les cadavres,
quand on a ouvert les portes de son premier camion à gaz?

Qu'est-ce qu'il pouvait faire? Il pleurait...
Le troisième jour, il a vu sa femme et ses enfants.
Il a déposé sa femme dans la fosse
et il a demandé à être tué.
Les Allemands lui ont dit
qu'il avait encore la force de travailler
et qu'on ne le tuerait pas maintenant.

Est-ce qu'il faisait très froid?

C'était en hiver 1942, au début de janvier.

A cette époque-là, on ne brûlait pas les cadavres, on les enterrait simplement?

Oui, on les enterrait,
et chaque rangée était recouverte de terre,
on ne les brûlait pas encore.
Il y avait à peu près quatre à cinq étages,
et les fosses étaient en forme d'entonnoir.

Ils jetaient les cadavres dans ces fosses,
et ils devaient les disposer comme des harengs,
tête-bêche.

Motke Zaïdl et Itzhak Dugin.

Donc ce sont eux qui ont exhumé et brûlé tous les Juifs de Vilna ?

Oui.
Au début janvier 1944, on a commencé à sortir les corps.

Au moment où on a ouvert la dernière fosse,
j'ai reconnu toute ma famille.

Quels membres de sa famille a-t-il reconnus ?

Maman et mes sœurs. Trois sœurs avec leurs enfants.
Elles étaient toutes là-bas.

Comment est-ce qu'il a pu les reconnaître ?

Comme ils étaient restés dans la terre pendant quatre mois et que c'était l'hiver,
ils étaient en assez bon état de conservation.
Alors je les ai reconnus à leurs visages et puis aussi à leurs vêtements

Ils avaient été tués relativement récemment ?

Oui.

Et c'était la dernière fosse ?

Oui.

Les nazis leur avaient donc fait ouvrir les fosses selon un plan précis :
ils avaient commencé par les plus anciennes ?

Oui.
Les dernières fosses étaient les plus récentes,
et on avait commencé par les plus anciennes,
celles du premier ghetto.

Dans la première fosse, il y avait vingt-quatre mille cadavres.

Plus on creusait vers le fond, et plus les corps étaient plats,
c'était pratiquement une tranche plate.
Lorsqu'on essayait de saisir le corps, il s'effritait complètement,
c'était impossible de le prendre.
Quand on nous a forcés à ouvrir les fosses,
on nous a interdit d'utiliser des instruments,
on nous a dit : « Il faut que vous vous habituiez à cela : travaillez avec les mains! »

Avec les mains.

Oui,
Au début, quand on a ouvert les fosses, on n'a pas pu se retenir,
on a absolument tous éclaté en sanglots.
Mais alors les Allemands se sont approchés de nous,
ils nous ont donné des coups à nous tuer,
ils nous ont forcés à travailler
à un rythme dément pendant deux jours,
avec des coups sans arrêt,
et sans instruments.

Ils ont tous éclaté en sanglots

Les Allemands avaient même ajouté
qu'il était interdit d'employer le mot « mort »
ou le mot « victime »,
parce que c'était exactement comme un billot de bois,
que c'était de la merde,
que ça n'avait absolument aucune importance,
c'était rien.

Celui qui disait le mot « mort » ou « victime » recevait des coups.

Les Allemands nous imposaient de dire, concernant les corps, qu'il s'agissait de *Figuren,*
c'est-à-dire de...
marionnettes, de poupées,
ou de *Schmattes,* c'est-à-dire de chiffons.

Et est-ce qu'on leur avait dit,
quand ils ont commencé,
combien il y avait de Figuren *dans toutes les fosses ?*

Le chef de la Gestapo de Vilna nous a dit :
« Il y a quatre-vingt-dix mille personnes couchées là,
et il faut absolument qu'il n'en reste plus aucune trace. »

Richard Glazar (Suisse), survivant de Treblinka.

C'était à la fin novembre 1942.
Et comme on nous chassait du travail
vers nos baraquements, tout à coup,
de cette partie du camp qu'on appelait
le camp de la mort, jaillirent des flammes.
Très haut.
Et en un instant tout le paysage,
tout le camp parut s'embraser.
Il faisait déjà sombre,
nous sommes entrés dans notre baraquement,
nous avons mangé
et par la fenêtre, nous ne cessions pas de voir
le fantastique arrière-fond de flammes
de toutes les couleurs imaginables :
rouge, jaune, vert, violet
et soudain l'un de nous se leva...
nous savions
qu'il était chanteur d'opéra à Varsovie.
Il s'appelait Salve

et devant ce rideau de flammes, il a commencé
à psalmodier
un chant qui m'était inconnu :

Mon Dieu, mon Dieu,
pourquoi nous as-Tu abandonnés ?

On nous a autrefois livrés au feu,
mais nous n'avons jamais renié Ta Sainte Loi.

Il a chanté en yiddish,
tandis que derrière lui flambaient
les bûchers
sur lesquels on a commencé, alors,
en novembre 1942,
à Treblinka, à brûler les corps.
C'était la première fois que cela arrivait :
nous sûmes cette nuit-là
que désormais les morts ne seraient plus enterrés,
ils seraient brûlés.

Motke Zaïdl et Itzhak Dugin.

A partir du moment où tout était prêt,
on commençait à déverser les matières
inflammables,
et on mettait le feu.
On attendait qu'il y ait un grand vent,
et en général, le bûcher brûlait sept, huit jours.

Simon Srebnik.

Un peu plus loin, là-bas, il y avait un socle de
béton,
et les os qui n'avaient pas brûlé,
par exemple les gros os des pieds,
nous les...
il y avait une caisse avec deux poignées

et nous les emportions là-bas,
où d'autres
avaient pour tâche de les broyer. C'était très fin,
cette poussière d'os.
Ensuite on mettait ça dans des sacs
et quand il y avait assez de sacs,
nous allions jusqu'à la Ner, il y avait un pont là-bas,
et nous les vidions dans la Ner, ça partait avec l'eau,
ça partait avec le flot.

Une petite maison blanche
Reste dans ma mémoire
De cette petite maison blanche
Chaque nuit je rêve.

Paula Biren (Cincinnati, Etats-Unis), survivante d'Auschwitz.

Etes-vous jamais retournée en Pologne ?
Non. J'ai voulu, souvent.
Mais, qu'est-ce que je verrais ?
Comment affronter cela ?

Mes grands-parents sont enterrés à Lodz.
Et j'ai appris par quelqu'un
qui y est allé qu'ils veulent raser le cimetière,
le détruire.
Comment puis-je retourner à ça, visiter ?
Quand sont-ils morts, vos grands-parents ?
Mes grands-parents ?

Au ghetto, rapidement.
Ils étaient âgés et après un an,
lui est mort, et elle l'année suivante.
Au ghetto, oui.

Pana Pietyra, Oswiecin (Auschwitz).

Madame Pietyra, vous êtes une citoyenne d'Auschwitz.

Oui, depuis ma naissance.

Et vous n'avez jamais quitté Auschwitz ?

Non, jamais.

Est-ce qu'il y avait des Juifs à Auschwitz avant la guerre ?

C'étaient 80 p. 100 de la population,
et même ils avaient une synagogue ici.

Une seule ?

Une seule, je crois.

Elle existe toujours ?

Non, elle a été dévastée.
Maintenant, il y a quelque chose qui est installé là-bas.

Est-ce qu'il y avait un cimetière juif à Auschwitz ?

Ce cimetière existe jusqu'à présent.
Maintenant il est fermé.

Il existe toujours ?

Oui.

Il est fermé, ça veut dire quoi ?

On n'enterre plus là-bas.

Pan Filipowicz (Wlodawa).

Il y avait une synagogue à Wlodawa ?

Oui, il y avait une synagogue,
et très, très belle.
Quand la Pologne était encore sous la domination des tsars,
cette synagogue existait déjà.
Elle est même plus ancienne
que l'église catholique.

Ça ne fonctionne plus.
Y a plus de croyants.

Tous ces bâtiments-là n'ont pas changé ?

Non, pas du tout.
Ici, il y avait des tonneaux avec des harengs,
et les Juifs vendaient du poisson.
Il y avait des étals, des petites boutiques,
c'était le commerce juif,
comme dit Monsieur.

Ça c'était la maison de Barenholz.
Il avait un commerce de bois.
Là-bas, il y avait le magasin de Lipschitz,
qui vendait des tissus.
Ici, il y avait Lichtenstein.

Et puis là, qu'est-ce que c'était en face ?

Il y avait un magasin d'alimentation.

Un magasin juif ?

Oui.

Ici, il y avait la passementerie,
du fil, des aiguilles et des petites bricoles,
et puis là-bas encore trois coiffeurs.

Cette belle maison était juive ?

Elle est juive.

Et la petite, ici ?

Egalement.

Et derrière, l'autre ?

Tout ça, c'étaient des maisons juives.

Celle-ci, à gauche, aussi ?

Aussi.

Et qui habitait là : Borenstein ?

Borenstein.
Il faisait du commerce avec du ciment,
il était beau comme tout, et plein de culture.

Ici, il y avait un forgeron qui s'appelait Tepper.

C'était une maison juive.

Ici habitait un cordonnier.

Comment s'appelait-il, le cordonnier ?

Yankel.

Yankel ?

Oui.

On a le sentiment que Wlodawa était
une ville complètement juive.

Oui, parce que c'est vrai.
Les Polonais habitaient un peu plus loin,
et le centre de la ville était occupé uniquement
par des Juifs.

Pana Pietyra.

Qu'est-ce qui est arrivé aux Juifs
d'Auschwitz ?

Ils ont été expulsés et réinstallés,
mais je ne sais pas où.

En quelle année ?

Ça a commencé en 1940, parce que je me suis installée en 1940 ici, et cet appartement appartenait aussi à des Juifs.

Mais d'après les informations dont nous disposons, les Juifs d'Auschwitz ont été « réinstallés », puisque c'est le mot, pas loin d'ici, à Benzin et à Sosnowiecze, en Haute Silésie.

Oui, parce que c'étaient aussi des villes juives,
Sosnowiecze et Benzin.

Et, est-ce que Madame sait ce qui est arrivé plus tard aux Juifs d'Auschwitz ?

Je pense qu'ensuite ils ont fini au camp, tous.

C'est-à-dire qu'ils sont revenus à Auschwitz ?

Oui.

Ici, il y avait toutes sortes de gens,
de tous les côtés du monde,
qui sont venus ici, qui ont été dirigés ici.

Tous les Juifs sont venus ici.
Pour mourir.

Pan Filipowicz.

Qu'est-ce qu'ils ont pensé quand tous les Juifs de Wlodawa ont été déportés à Sobibor ?

Qu'est-ce qu'on a pu en penser ?
C'était leur fin, mais ils le prévoyaient avant,
eux-mêmes.

Pourquoi ça ?

Même avant la guerre,
quand on parlait avec les Juifs,
ils prévoyaient leur fin,
Monsieur ne sait pas comment.
Déjà avant la guerre ils le pressentaient.

Ils ont été conduits à Sobibor comment?
A pied?
C'était quelque chose d'affreux,
lui-même y a assisté,
on les a chassés à pied à une gare qui s'appelle Orkrobek.

C'est là que tout d'abord on mettait les vieillards dans des wagons à bestiaux qui les attendaient déjà,
ensuite, des Juifs plus jeunes,
et à la fin, les gosses.
C'était le plus affreux, parce qu'on les jetait sur les autres
qui étaient déjà enfermés.

Pan Falborski (Kolo).

Et à Kolo même, il y avait beaucoup de Juifs?
Enormément.
Il y avait plus de Juifs que de Polonais
Et comment ça s'est passé alors,
pour les Juifs de Kolo?
Est-ce qu'il a vu ça lui-même?
Oui. C'était affreux.
C'était affreux à regarder.
Même les Allemands se cachaient,
ils ne voulaient pas voir ça.
Quand on chassait les Juifs vers la gare,
on les battait,
on les tuait même, et il y avait une charrette spéciale qui suivait le convoi,
où on mettait les cadavres.
Ceux qui ne pouvaient pas marcher,
ceux qu'on avait tués?
Oui, qui sont déjà tombés.
Ça se passait où?

Les Juifs étaient groupés dans la synagogue de Kolo,
et ensuite on les chassait vers la gare,
où il y avait le chemin de fer à voie étroite
qui arrivait jusqu'à Chelmno.

Ça s'est passé comme ça pour les Juifs de Kolo,
mais aussi pour tous les Juifs de la région... ?
Oui, absolument. Partout.
On assassinait des Juifs aussi dans les forêts,
à côté de Kalisz, pas loin d'ici...

Abraham Bomba (Israël), survivant de Treblinka.

Il y avait un signe,

un très petit signe, à la gare de Treblinka.
Je ne sais pas
si c'était à la gare même ou juste avant.
Sur la voie où nous attendions,
il y avait un panneau, très petit :
Treblinka.
Je n'avais jamais entendu parler de Treblinka,
parce que personne ne connaît, ce n'est pas un lieu,
pas une ville, même pas un petit village.

Les Juifs ont toujours rêvé,
c'était au cœur de leur vie,
au cœur de leur attente messianique, de rêver
qu'un jour ils seraient libres.

Ce rêve était surtout vrai au ghetto.
Chaque jour, nuit après nuit,
je rêvais que ça allait changer.

Plus que le rêve,
l'espoir entretenu par le rêve...

Le premier transport quitta Czestochowa
le jour de Yom Kippour.
La veille de Sukkoth, il y eut le deuxième transport...
j'en faisais partie.
En mon for intérieur, j'avais un pressentiment,
car s'ils prennent les enfants, les vieux,
c'est mauvais signe.
« Là-bas, vous travaillerez », leur disaient-ils.
Mais pour une vieille femme,
un nourrisson, un enfant de cinq ans,
travailler, c'est quoi ?
C'était absurde et pourtant,
rien à faire, nous y avons cru.

Czeslaw Borowi (Treblinka).

Il est né ici, en 1923,
et il y habite jusqu'à présent.
Il habitait exactement à cet endroit ?
Oui. Exactement ici.
Alors, donc, il était aux premières loges
pour voir tout ça, là-bas ?
Naturellement.
On pouvait s'approcher,
on pouvait regarder à distance.

Ils ont aussi une partie de leur terre de l'autre côté de la gare,
alors pour aller travailler, il était obligé de traverser la voie,
alors il pouvait tout voir.

Est-ce qu'il se souvient de l'arrivée
du premier convoi de Juifs en provenance
de Varsovie, le 22 juillet 1942?

Oui. Il se rappelle très bien le premier convoi,
et quand on a fait venir tous ces Juifs ici,
les gens ont commencé à se demander :
« Qu'est-ce qu'on va en faire? »
Ils comprenaient bien que c'était pour les tuer,
mais on ne savait pas encore comment.

Quand les gens ont commencé à comprendre un peu ce qui se passait,
ils ont été effrayés, ils ont commencé à se dire entre eux
que depuis que le monde existe, on n'a jamais assassiné
tant de gens de cette manière-là.

Pendant que toute cette affaire se passait
sous leurs yeux,
la vie quotidienne continuait,
ils travaillaient les champs?

Bien sûr qu'ils travaillaient,
mais ils n'avaient pas leur volonté de travail habituelle.
Ils étaient obligés de travailler,
mais quand ils voyaient ce qui se passait, ici,
ils se disaient :
et si la nuit on va entourer la maison et nous prendre nous aussi?

Ils avaient peur pour les Juifs aussi?

Il dit que si moi je me coupe le doigt,
ça ne lui fait pas mal.
Mais, de toute façon, ils ont vu ce qui s'est passé
avec les Juifs, parce que tous les convois
qui arrivaient ici
partaient vers le camp
et les gens disparaissaient.

Il avait un champ situé à cent mètres du camp.
Et il travaillait aussi pendant l'occupation.

Il travaillait dans son champ ?

Oui.
Alors il a vu comment on asphyxiait les Juifs,
il a entendu comment ils criaient,
il a vu tout cela.
Il y avait une petite élévation de terrain
et de là, il pouvait voir pas mal de choses.

Qu'est-ce qu'il dit, lui ?

On ne pouvait pas s'arrêter et regarder.
C'était interdit,
parce que les Ukrainiens leur tiraient dessus.

On leur permettait de travailler
dans leur champ même si leur champ
était à cent mètres du camp ?

On pouvait, oui, on pouvait,
de temps en temps il jetait un coup d'œil,
quand les Ukrainiens ne le regardaient pas.

Mais alors, il travaillait les yeux baissés ?

Oui.

Il travaillait juste à côté des barbelés,
il y avait des cris affreux.

Il avait son champ là ?

Oui, c'était tout près.
Il pouvait y travailler, ce n'était pas interdit.

Il travaillait, il cultivait là ?

Oui. Même là où maintenant est le camp,
c'était en partie son champ.

Ah ! c'était en partie son champ.

On ne pouvait pas y accéder,
mais on pouvait tout entendre.

Cela ne le gênait pas de travailler
tellement près de ces cris ?

Au début, vraiment, on ne pouvait pas supporter ça.
Et puis après, on s'habitue...

On s'habitue à tout ?

Oui.

Maintenant, il lui semble que c'est absolument...
que c'était impossible,
et quand même c'est vrai.

Czeslaw Borowi.

Il a vu des convois qui arrivaient,
chaque convoi avait soixante à quatre-vingts wagons
et ensuite il y avait deux locomotives
qui conduisaient ces convois au camp,
et à chaque fois, les locomotives prenaient vingt wagons.

Vingt wagons.
Et les wagons revenaient vides ?

Oui.

Est-ce qu'il se souvient...

Voilà comment ça se passait :
la locomotive prenait vingt wagons
et les conduisait vers le camp.
Ça pouvait durer peut-être une heure,
et les wagons vides revenaient ici,
on prenait les vingt wagons suivants et pendant ce temps-là,
ceux qui avaient été transportés les premiers étaient déjà morts.

Cheminots de Treblinka.

Ils attendaient, ils pleuraient,
ils demandaient de l'eau, ils mouraient,

ils étaient parfois tout nus dans les wagons,
jusqu'à cent soixante-dix personnes.

C'est là qu'on donnait de l'eau aux Juifs.
Où est-ce qu'on donnait de l'eau aux Juifs ?
Ici. Quand les convois étaient arrivés,
on donnait de l'eau ici aux Juifs.
Qui donnait de l'eau aux Juifs ?
Nous, justement, nous les Polonais.
Il y avait un petit puits, on prenait une bouteille
et on la donnait aux Juifs.
Ça n'était pas dangereux de leur donner de l'eau ?
C'était très dangereux,
on pouvait être tué si on avait donné
une bouteille d'eau ou un verre d'eau.
Mais, malgré cela, on leur donnait de l'eau.

Paysan de Treblinka.

En hiver, il fait très froid ici ?
Ça dépend. Parfois, il y a même moins vingt-cinq,
moins trente.
Qu'est-ce qui était le plus pénible, selon lui, pour les Juifs, c'était l'été ou l'hiver, je veux dire l'attente ici ?
Il pense que c'était l'hiver,
parce qu'ils avaient très froid.

A l'intérieur du wagon, ils étaient tellement serrés,
que peut-être même ils n'avaient pas froid.
Et en été, ils étouffaient, parce qu'il faisait très,
très chaud.
Alors les Juifs avaient très soif,
ils essayaient de sortir.

Est-ce qu'il y avait déjà des morts dans les wagons quand les convois arrivaient ?

Evidemment, il y en avait.
Ils étaient tellement serrés que même ceux qui vivaient encore étaient assis sur les cadavres, parce qu'il y avait tellement peu de place.

Mais eux, quand ils passaient sur le quai ou sur la voie, ils regardaient à travers les interstices des wagons ?

Oui, on pouvait voir,
on pouvait regarder de temps en temps,
quand on passait.
Parfois, quand on le permettait, on leur donnait de l'eau.

Oui. Mais dites-moi, les Juifs essayaient de sortir comment ? Ils n'ouvraient pas les portes ?

Par les fenêtres.
Ils enlevaient les barbelés...

Ah ! les lucarnes étaient barbelées...

... et ils sortaient par ces fenêtres.

Ils sautaient ?

Ils sautaient, oui, bien sûr.
Et parfois, ils faisaient exprès,
tout simplement ils sortaient,
ils s'asseyaient par terre,
et les gardes arrivaient
et leur tiraient un coup dans le crâne.

Cheminots de Treblinka.

Ils sautaient des wagons,
il fallait le voir.
Un jour il y avait une mère avec l'enfant...

Une mère juive ?

Oui, avec un enfant.

Elle s'est enfuie,
et on lui a tiré sur le cœur, on lui a tiré dans le cœur.

Dans le cœur de la mère ?

Oui, de la mère.
Monsieur vit ici depuis très longtemps,
on ne peut pas l'oublier...

Paysan de Treblinka.

Il dit que maintenant, quand on y pense,
on ne comprend pas comment un homme
puisse faire ça à un autre être humain.
C'est inconcevable, on ne le comprend pas.

Une fois les Juifs demandaient de l'eau,
un Ukrainien se promenait
et il a interdit de donner de l'eau,
alors la Juive qui demandait de l'eau
lui a jeté à la tête la casserole qu'elle tenait,
alors l'Ukrainien s'est un peu reculé,
dix mètres peut-être, et il a commencé à tirer sur le wagon, n'importe comment.
Alors ici, c'était plein de sang et de cervelle.

Czeslaw Borowi.

Oui, il y avait pas mal de gens
qui ouvraient des portes ou s'enfuyaient
par des fenêtres,
il arrivait que les Ukrainiens tirent
à travers les parois du wagon.
Ça arrivait surtout la nuit,
parce que quand les Juifs parlaient entre eux,
les Ukrainiens qui voulaient que ce soit calme

leur demandaient de se taire.
Alors, les Juifs se taisaient, le garde repartait
mais les Juifs recommençaient à parler entre eux,
dans leur langue,
comme dit Monsieur : *ra ra ra,* etc.

Oui, qu'est-ce qu'il a voulu dire : la la la la,
qu'est-ce qu'il essayait d'imiter ?

Leur langue.

Non ! Non ! Mais demande-lui !
C'était un bruit spécial, le bruit de Juifs ?

Ils parlaient en juif.

Ils parlaient en juif.
Monsieur Borowi comprend le juif ?

Non.

Abraham Bomba.

Nous étions dans ce wagon, le wagon roulait,
roulait vers l'Est.
Il s'est passé une drôle de chose,
ce n'est pas agréable, mais je le dis.
La majorité écrasante des Polonais,
quand ils voyaient le train passer
– nous étions comme des animaux dans ce wagon,
on n'apercevait que nos yeux –,
ils riaient, ils riaient,
ils jubilaient : on se débarrassait des Juifs.
Ce qui se passait dans le wagon,
les bousculades, les cris :
« Où est mon enfant ? » « De l'eau, par pitié ! »
On mourait de faim, et en plus, on étouffait...
La chaleur ! C'était bien la chance juive :
en septembre, d'ordinaire, il pleut,
le temps est frais, et là, une chaleur d'enfer !
Pour un bébé comme le mien, un bébé de trois semaines,

pas une goutte d'eau.
Pas une goutte d'eau pour la mère,
pour personne.

Henrik Gawkowski (Malkinia).

Est-ce qu'il entendait des cris derrière lui, derrière sa locomotive ?

Evidemment, puisque la locomotive était
tout près des wagons.
Les Juifs criaient, ils demandaient de l'eau.
Les cris qui arrivaient des wagons qui étaient tout près de la locomotive,
on pouvait les entendre très bien,
les écouter très bien...

Est-ce qu'on s'habitue à ça ?

Non, non.
C'était extrêmement pénible pour lui.
Il savait que les êtres qui se trouvaient
derrière lui,
c'étaient des humains comme lui.
Mais il faut dire que les Allemands lui donnaient,
aussi bien qu'à ses camarades,
de la vodka, pour qu'ils boivent.
Parce que sans avoir bu, ils n'auraient pas pu...
Il y avait une sorte de prime,
et cette prime leur a été donnée
non pas en argent, mais en alcool.
Ceux qui travaillaient sur d'autres trains
ne recevaient pas cette prime.

Il dit qu'ils vidaient absolument
tout ce qu'ils recevaient,
parce que sans alcool,
ils n'auraient pas pu supporter l'odeur qu'ils retrouvaient en arrivant ici,
et même ils s'achetaient de l'alcool eux-mêmes
pour s'enivrer.

Abraham Bomba.

Nous sommes arrivés le matin
vers six heures, six heures et demie.
Sur les voies parallèles,
j'ai vu d'autres trains à quai.
J'observais...
et j'ai vu environ dix-huit, vingt wagons,
peut-être plus, qui partaient à la fois.
Et au bout d'une heure environ,
j'ai vu les wagons revenir, mais sans les gens.
Mon train est resté là jusqu'à midi à peu près.

Henrik Gawkowski.

*Entre la gare et la rampe où les gens
étaient débarqués à l'intérieur du camp,
il y a combien de kilomètres ?*
Six kilomètres.

Abraham Bomba.

Tandis que nous attendions à la gare
notre tour d'être emmenés au camp,
des SS s'approchèrent et nous demandèrent
ce que nous possédions.
Nous avons répondu : « Quelques-uns ont de l'or,
des diamants, mais nous voulons de l'eau. »
« Bon, donnez les diamants, vous aurez
de l'eau. »
Ils les ont pris, on n'a jamais vu l'eau.

Combien de temps a duré le voyage ?
Le voyage, de Czestochowa à Treblinka, a duré
à peu près vingt-quatre heures,

en comptant un arrêt à Varsovie
et l'attente à la gare de Treblinka.
Notre train fut le dernier à partir.
Mais comme je l'ai dit,
j'ai vu beaucoup de trains revenir
et ils étaient vides.
Je me suis demandé :
« Qu'est-il arrivé aux gens ?
On ne voit personne. »

Richard Glazar.

Nous avons roulé deux jours.
Au matin du deuxième jour, nous avons vu
que nous avions laissé la Tchécoslovaquie,
que nous roulions vers l'Est.
Ce n'étaient pas des SS qui nous gardaient.
C'était la Schupo
en uniforme vert. Nos wagons
étaient des wagons de passagers normaux.
Chaque place était occupée.
On ne pouvait pas choisir,
tout était numéroté, tout était assigné.

Dans mon compartiment, il y avait un couple âgé.
Je me souviens, le brave homme
voulait toujours manger et sa femme le grondait,
car il ne leur resterait rien,
disait-elle, pour les temps à venir.

Et c'était déjà le deuxième jour,
j'ai vu le panneau « Malkinia ».
On a continué encore un peu.

Tout à coup, très lentement,
le train a bifurqué de la voie principale
et a roulé au pas à travers un bois.

Et comme nous regardions
— nous avions pu entrouvrir la fenêtre —,
le vieux dans notre compartiment a vu
quelqu'un...
il y avait là des vaches qui paissaient...
et il a demandé, mais par signes :
« Où sommes-nous ? »
Et l'autre a fait un drôle de geste. Ça !
A la gorge.

Un Polonais ?

Un polonais.

Mais où était-ce ? A la gare ?

C'était là où le train s'est arrêté.
D'un côté il y avait le bois
et de l'autre, des prairies.

Et il y avait un paysan ?

Et nous avons vu des vaches
gardées par un jeune,
un... valet de ferme... un valet.

Et l'un de vous a demandé...

Pas demandé avec des mots, mais par signes :
« Qu'est-ce qui se passe ici ? »
Et l'autre a fait ce geste. Comme ça.
Mais nous ne lui avons pas vraiment prêté
attention,
nous ne nous l'expliquions pas.

Paysans de Treblinka.

Une fois, il y avait des Juifs de l'étranger,
ils étaient gros comme ça...

Comme ça ?

Ils étaient dans des wagons de passagers,
il y avait aussi un vagon-restaurant,
ils pouvaient boire,
ils pouvaient se promener également,

et ils racontaient qu'ils allaient travailler
dans une usine.
Et quand ils sont entrés dans la forêt,
ils ont vu ce que c'était, l'usine!

On leur faisait ce geste-là.

Quel geste?

Qu'on va les étrangler.

Ah! ils leur faisaient ce geste eux-mêmes?

Oui, et les Juifs ne l'ont pas cru,
les Juifs ne croyaient pas.

Mais qu'est-ce que ça veut dire, ce geste?

Que la mort les attend.

Czeslaw Borowi.

Les gens qui avaient l'occasion
de s'approcher des Juifs leur faisaient ce geste
pour les avertir...

Il l'a fait, lui? Est-ce qu'il l'a fait lui-même?
Demande-lui...

... qu'ils allaient être pendus, assassinés.

Oui.

Même les Juifs étrangers, de Belgique,
de Tchécoslovaquie, de France certainement
aussi, de Hollande et d'ailleurs,
ils ne le savaient pas.
Tandis que les Juifs polonais, eux, savaient.
Parce que dans les petites villes,
dans les environs, on parlait déjà de tout ça.
Alors, les Juifs polonais étaient avertis,
mais les autres ne l'étaient pas.

Alors, ils avertissaient qui?
les Juifs polonais ou les autres?

Les uns et les autres.

Il dit que les Juifs étrangers arrivaient ici
en wagon pullman,
ils étaient très bien habillés, en chemise blanche,
il y avait des fleurs dans leurs wagons, ils jouaient aux cartes...

Henrik Gawkowski.

Mais, d'après ce que je sais, c'était assez rare,
le cas des Juifs étrangers transportés
dans des wagons de passagers.
La majorité arrivait dans des wagons
à bestiaux.

Non, ce n'est pas vrai, ce n'est pas vrai.

Ce n'est pas vrai ? Qu'est-ce qu'elle dit,
Mme Gawkowska ?

Mme Gawkowska dit que peut-être son mari n'a pas tout vu.

Oui.

Il dit qu'il a vu. Il est arrivé qu'une fois,
par exemple, à la gare de Malkinia,
un Juif de l'étranger est sorti du wagon,
il est allé acheter quelque chose au bar,
mais le train s'est remis en marche,
alors il a commencé à courir derrière...

Pour rattraper son wagon ?

Oui.

Czeslaw Borowi.

Alors il passait devant ces wagons de passagers, devant ces pullmans, comme il dit, et à ces Juifs étrangers qui étaient très calmes, qui ne pressentaient rien, il faisait ce geste ?

Oui.

A tous les Juifs,
en principe à tous les Juifs.

Il passait sur le quai, comme ça ?
Demande-lui !

Oui, la route était comme maintenant,
quand le gardien ne le regardait pas, quand il se promenait,
justement, il faisait ce geste-là...

Henrik Gawkowski.

Eva, demande à M. Gawkowski
pourquoi il a l'air si triste ?

Parce que j'ai vu que les hommes marchaient vers la mort.

Et ici, on est à quel endroit, exactement ?

C'est pas très loin, c'est à deux kilomètres, deux kilomètres et demi, à peu près...

Quoi donc ? Le camp ?

Oui.

Et qu'est-ce que c'est que le chemin de terre
qu'il montre ?

Là,
là il y avait la voie, la voie ferrée jusqu'au camp !

Est-ce que M. Gawkowski, en dehors
des trains de déportés
qu'il a conduits soit de Varsovie,
soit de Bialystok, jusqu'à la gare
de Treblinka, est-ce qu'il lui est arrivé de
conduire des wagons de déportés
de la gare de Treblinka jusqu'à l'intérieur
du camp ?

Oui.

Est-ce qu'il l'a fait souvent ?

Deux ou trois fois par semaine.

Pendant combien de temps ?

Un an et demi, à peu près.

C'est-à-dire, pendant toute la durée de l'existence du camp ?

Oui.

Voilà la rampe.
Il est ici, il va jusqu'au bout avec sa locomotive,
et il a les vingt wagons derrière lui ?...
Pose-lui la question.

Non, il les a devant soi.

Ah ! il les pousse ?

Oui, justement, il les pousse.

Il les pousse.

Jan Piwonski (gare de Sobibor).

A partir du mois de février 1942,
j'ai commencé à travailler ici comme
aide-aiguilleur.

Les bâtiments de la gare, les rails, les quais,
c'est exactement les mêmes qu'en 1942,
rien n'a changé depuis 1942 ?

Rien.

Le camp commençait où, exactement ?
La limite du camp ?

On ira peut-être. Je vais vous montrer
exactement.
Ici,
il y avait une palissade qui allait jusqu'à ces arbres qu'on voit là.

Et puis il y avait une autre palissade,
qui allait vers les arbres qu'on voit là-bas.

Ici, si moi je suis là, je suis dans l'enceinte
du camp, c'est bien cela ?
A l'intérieur du camp ?

Exactement.

Et puis ici, là, là je suis à quinze mètres de la
gare, déjà je suis en dehors du camp ?
Tout ça, c'est la partie polonaise
et puis ça, c'est la mort ?

Oui.

Suivant les ordres des Allemands
les cheminots polonais étaient obligés de scinder
les trains :
la locomotive prenait vingt wagons,
allait dans la direction de Chelm,
et là il y a un aiguillage, le train manœuvrait,
et poussait les wagons à l'intérieur du camp...
sur l'autre voie qu'on voit là-bas.
C'est là que la rampe commençait.

Alors donc, alors là, si je comprends bien,
là on est à l'extérieur du camp...
On revient là,
on va pénétrer à l'intérieur...
Si on compare Sobibor à Treblinka,
la gare fait partie du camp, pratiquement.

Et puis alors là, ici, nous sommes à l'intérieur
du camp...

Cette voie-là se trouvait déjà à l'intérieur du camp.

Et c'est exactement...
c'est exactement la même ?

Oui ! la même voie.
La même, ça n'a pas changé depuis ce temps-là.

Alors, là où nous nous trouvons,
c'est ce qu'on appelle la rampe, *c'est bien ça ?*

Oui, c'est la rampe
où on déchargeait les victimes destinées à l'extermination.

Alors donc, à l'endroit où nous sommes,
c'est là où deux cent cinquante mille Juifs ont débarqué
avant d'être gazés...

Oui !

Est-ce que les Juifs étrangers arrivaient ici
comme à Treblinka,
en wagons de passagers ?

Pas toujours.
Souvent les Juifs les plus riches, de Belgique,
de Hollande, de France,
arrivaient en wagons de passagers,
souvent même en pullmans,
et en règle générale, ils étaient mieux traités par les gardes.

Surtout les convois des Juifs de l'Europe occidentale,
en attendant ici leur tour...
Les cheminots polonais ont vu que les femmes
se maquillaient, se coiffaient bien,
elles étaient tout à fait inconscientes du sort qui les attendait dans quelques minutes,
elles s'embellissaient...

Elles s'embellissaient...

Et les cheminots polonais ne pouvaient rien leur dire,
parce que les gardes qui surveillaient le train interdisaient d'entrer en contact avec les futures victimes.

Et il y avait des beaux jours
comme aujourd'hui, j'imagine... ?

Hélas ! oui, il y avait des journées
encore plus belles que celles-ci !

Rudolf Vrba (New York), survivant d'Auschwitz.

La rampe était le terminus des trains
arrivant à Auschwitz.
Ils arrivaient jour et nuit,
tantôt un par jour, tantôt cinq,
de tous les lieux du monde.

J'ai travaillé là du 18 août 1942
au 7 juin 1943.
Les trains se succédaient sans fin,
j'en ai bien vu deux cents à mon poste sur la rampe :
c'était devenu une routine, à force.
Sans répit, de partout,
les gens arrivaient au même endroit,
avec la même ignorance du sort des transports précédents.

Et de cette masse de gens
je savais bien que deux heures après,
90 % seraient gazés, je savais cela.

Je ne comprenais pas que les gens puissent
disparaître ainsi...

Et rien ne se passe, et arrive le prochain transport.
Et ils ne savent rien du sort du précédent,
et cela continue pendant des mois et des mois.

Cela se passait ainsi :
par exemple, un train juif était attendu à deux heures du matin.
Quand il approchait d'Auschwitz,
on l'annonçait aux SS.
Un SS nous réveillait,
on nous escortait dans la nuit,
jusqu'à la rampe... Nous étions environ
200 hommes.
Et tout s'illuminait.
Il y avait la rampe, les projecteurs,
et sous les projecteurs, alignés, les SS;
tous les mètres, un SS, l'arme au poing.
Nous étions au milieu, nous les prisonniers,
attendant le train, attendant les ordres.
Quand tout était prêt, le convoi arrivait.
Il roulait très lentement, la locomotive,
qui était toujours en tête, parvenait à la rampe.
Et c'était la fin de la ligne,
la fin du voyage.

Dès l'arrêt du train,
l'élite des gangsters se postait;
et devant tous les deux ou trois wagons,
parfois devant chaque wagon,
un de ces Unterscharführer
attendait avec une clef et ouvrait les portes,
car elles étaient verrouillées.

A l'intérieur, bien sûr, il y avait les gens.
Ils regardaient par les lucarnes sans comprendre,
après tant d'arrêts – certains étaient
en route depuis dix jours –,

ce que cet arrêt-là signifiait.
Alors la porte s'ouvrait,
et le premier ordre lancé était :
« Alle Heraus ! » Tous dehors,
et pour se faire comprendre, ils frappaient
avec leurs cannes, le premier, le deuxième, etc.
Les Juifs étaient comme des sardines dans ces wagons.

Si quatre, cinq ou six trains arrivaient le même jour,
le déchargement se faisait dans l'urgence :
ils y allaient à la trique, ils les insultaient.

Mais, par beau temps, ils pouvaient agir autrement,
se montrer de bonne humeur
et faire de l'humour, disant par exemple :
« Bonjour, madame, descendez, je vous prie. »

Vraiment ?

Oui, oh ! oui,
ou : « Quelle joie, vous êtes ici, pardon pour l'inconfort.
Tout va changer maintenant... »

Abraham Bomba.

En entrant à Treblinka on ne savait pas
qui étaient les gens :
certains portaient des brassards, rouges
ou bleus : les commandos juifs...

Tombant du train,
nous poussant les uns les autres,
on se perdait
dans les cris, les hurlements.

Une fois descendus,
on se retrouvait sur deux files,
femmes à gauche, hommes à droite.
Nous n'avions même pas le temps de nous regarder,
car ils nous frappaient à la tête
avec n'importe quoi.
C'est... C'était très, très douloureux...
Vous ne saviez pas ce qui arrivait,
vous n'aviez pas le temps de penser,
les cris vous affolaient,
vous n'entendiez rien d'autre que les hurlements.

Richard Glazar.

Et soudain, ça a commencé : des cris,
des hurlements.
« Descendez, descendez tous ! »
Pas des cris, un vacarme, un tumulte !
« Dehors, dehors,
laissez les bagages ! »
Nous sommes sortis,
nous écrasant les uns les autres.
Nous avons vu des hommes
avec des brassards bleus,
quelques-uns étaient armés de fouets.
Nous avons aperçu des SS.
Des uniformes verts,
des uniformes noirs...

Nous étions une masse,
la masse nous emportait tous,
impossible de résister,
elle devait avancer jusqu'à un autre lieu.
J'ai vu les autres se déshabiller.
Et j'ai entendu : « Déshabillez-vous !
A la désinfection ! »

Et comme j'attendais, déjà nu,
j'ai remarqué
que les SS en mettaient quelques-uns à part;
ceux-là devaient se rhabiller.
Et soudain un SS est passé, il s'est arrêté devant
moi, il m'a toisé et a dit :
« Oui, oui, toi aussi, vite, rejoins les autres,
rhabille-toi.
Tu vas travailler ici et si tu fais tes preuves,
tu pourras être chef d'équipe ou kapo. »

Abraham Bomba.

Avec ceux de mon transport, j'attendais déjà nu,
un homme survint et dit : « Vous, vous, vous... »
Nous sortîmes du rang
et ils nous mirent de côté.
Certains, parmi les autres,
comprenaient ce qui se passait et pressentaient
qu'ils ne resteraient pas vivants.
Ils refluaient, refusant d'avancer
– ils savaient déjà où ils allaient –
vers cette grande porte...

Les pleurs, les cris, les hurlements...
Ce qui se passait là-bas,
c'était impossible...
Les appels, les cris vous restaient dans les oreilles
et dans la tête durant des jours et des jours,
et la nuit aussi.
Vous ne pouviez plus dormir pendant des nuits
entières.

Soudain, d'un coup, tout s'arrêta,
comme sur ordre.

Tout était devenu silencieux,
là-bas, où les gens avaient disparu,
comme si tout était mort.

Alors, ils nous dirent de tout nettoyer
là où deux mille personnes environ
s'étaient déshabillées en plein air,
de tout emporter, de tout évacuer,
et cela, en une seconde!
Des Allemands, d'autres qui se trouvaient là,
des Ukrainiens, commencèrent à hurler,
à cogner pour que nous portions plus vite
les paquets sur notre dos,
encore plus vite vers la place centrale,
où il y avait d'immenses tas de vêtements,
de chaussures, etc.
En un éclair, tout était vide comme si rien n'était arrivé.
Rien. Ni personne. Jamais.

Il ne restait aucune trace. Plus une trace!
Comme par magie, tout avait disparu.

Rudolf Vrba.

Avant chaque arrivée,
la rampe était nettoyée à zéro.
Nulle trace du transport précédent ne devait demeurer.
Pas une trace.

Richard Glazar.

On nous a emmenés dans un baraquement.
Le baraquement entier empestait.

Sur peut-être un mètre et demi de hauteur,
confondus en une masse unique, s'entassaient
tous les objets imaginables que les gens avaient
pu apporter :
des draps, des valises,
n'importe quoi,
amalgamé en une seule masse.
Et sur cette masse, bondissant comme des
diables,
des individus...
Ils faisaient des ballots.
Et ils les portaient au-dehors.
On m'a affecté à l'un d'eux.
Sur son brassard, il y avait la mention
« Chef d'équipe ».
Il a hurlé et j'ai compris
que je devais, moi aussi, prendre un drap,
faire un ballot, et le transporter ailleurs.
Tout en travaillant, je lui ai demandé :
« Que se passe-t-il ? Les autres ? Les nus ?
Où sont-ils ? »
Et il a répondu : « *Toït*. Tous morts. »

Mais je ne réalisais pas. Je n'y croyais pas encore.
C'est un mot yiddish. Et j'avoue que j'entendais
parler yiddish pour la première fois.

Il ne m'a pas dit cela à voix très haute
et j'ai vu qu'il avait les larmes aux yeux.
Mais soudain, il s'est mis à crier,
il a levé son fouet...
et j'ai aperçu, du coin de l'œil, un SS qui
s'approchait.
Et j'ai compris que je ne devais plus poser
de questions,
mais seulement me ruer au-dehors avec le paquet.

Abraham Bomba.

C'est alors que nous avons commencé à travailler
en ce lieu qu'ils appelaient Treblinka.
Et pourtant, je ne pouvais croire
à ce qui s'était passé de l'autre côté de la porte,
là où les gens avaient disparu
et où tout était devenu silencieux.
Mais très vite, en interrogeant
ceux qui travaillaient déjà là, nous avons compris.

« Quoi ! Vous ne savez donc pas ?
Ils sont tous gazés, tous morts ! »

Nous ne pouvions prononcer une parole :
nous étions pétrifiés.
« Qu'est-il arrivé à la femme, à l'enfant ?
– Quelle femme ? Quel enfant ? Il n'y a plus
personne. »
Plus personne ! Mais comment ont-ils tué,
comment ont-ils gazé tant de gens à la fois ?
Mais ils avaient leur méthode...

Richard Glazar.

Ma seule pensée à cet instant était Carel Unger,
mon ami.
Il se trouvait à l'arrière du train,
dans un tronçon qu'on avait détaché, laissé
au-dehors.
Il me fallait quelqu'un. Près de moi. Avec moi.
Et alors, je l'ai vu. Il était dans le deuxième
groupe laissé en vie, lui aussi.

Et en chemin, je ne sais comment, il avait appris,
il savait déjà.

Il m'a regardé
et il a dit seulement : « Richard, mon père,
ma mère, mon frère !... »
Il l'avait appris en chemin.

Cette rencontre entre Carel et toi,
c'était combien de temps après l'arrivée ?

C'était... environ vingt minutes après l'arrivée
à Treblinka.

Alors je suis sorti du baraquement,
et j'ai découvert pour la première fois la place
immense...
On l'appelait – mais cela, je l'ai appris plus tard –
la « Place de tri ».
Elle disparaissait sous des montagnes d'objets
de toutes sortes.
Montagnes de chaussures, de vêtements,
dix mètres de haut.
Alors j'ai pensé et j'ai dit à Carel :
« C'est un ouragan, une mer monstrueuse.
Nous avons fait naufrage. Et nous vivons encore.
Et nous ne devons rien faire.
Mais seulement guetter chaque vague nouvelle,
nous allonger sur elle,
nous préparer à la vague prochaine...
et demeurer sur la vague à tout prix.
Et rien d'autre. »

Abraham Bomba.

C'est ainsi que le jour passa,
Vingt-quatre heures sans eau, sans rien,
nous ne pouvions rien boire,
rien porter à notre bouche,
c'était impossible.
A la seule pensée qu'une minute, une heure
auparavant,

vous faisiez partie d'une famille,
d'une femme,
d'un mari...
et soudain, d'un seul coup, tout est mort.

On nous mit dans un baraquement spécial,
j'y dormais tout près du passage,
et là-bas, cette nuit-là
fut pour tous la plus horrible des nuits,
à cause du souvenir
de tout ce qui avait été vécu et partagé :
joies, bonheurs, naissances, mariages,
tout le reste... Et soudain, en une seconde,
couper dans tout cela, pour rien, sans raison,
car les gens n'étaient coupables de rien,
que d'être juifs.

Pour la plupart, ce fut une nuit blanche,
on essayait de se parler, c'était interdit,
le garde dormait dans la même baraque.
On ne pouvait ni communiquer
ni échanger nos pensées.
A cinq heures du matin,
nous commençâmes à sortir
et quand ils firent l'appel,
nous découvrîmes
que dans notre groupe, quatre ou cinq
étaient morts.
Je ne sais comment cela s'est passé,
ils devaient avoir avec eux
du cyanure ou un autre poison et ils s'étaient
empoisonnés.
Deux d'entre eux au moins étaient des amis
intimes.
Ils n'avaient rien dit, on ne savait même pas
qu'ils avaient avec eux du poison.

Richard Glazar.

Du vert. Sinon, partout, du sable.
A la nuit on nous a mis dans une baraque.
Le sol n'était que sable.
Rien d'autre.
Et chacun de nous est simplement tombé.
Sur place.

J'ai entendu dans mon demi-sommeil
que quelques-uns se pendaient.
Nous n'avons pas réagi. C'était presque normal.

De même qu'il était normal que derrière chacun
de ceux sur qui se refermait la porte de Treblinka
il y ait la Mort, il doit y avoir la Mort,
car personne ne devait,
jamais, pouvoir porter témoignage.

Berlin.
Inge Deutschkron; née à Berlin, y demeura pendant toute la guerre (dans la clandestinité à partir de février 1943); vit aujourd'hui en Israël.

Ce n'est plus mon pays.
Surtout, ce n'est plus mon pays,
quand ils osent me dire qu'ils ne savaient pas...
ils n'ont pas vu...
« Oui, il y avait ici des Juifs, ils ont disparu,
on n'a rien su d'autre. »
Comment ont-ils pu ne pas voir !
Ça a duré pendant presque deux ans !
Chaque quinzaine on arrachait les gens
à leur foyer.
Comment ont-ils pu s'aveugler ainsi ?

Le jour où Berlin a été purgé de ses derniers
Juifs,
personne ne voulait rester dans les rues,
les rues étaient entièrement vides.
Pour ne pas voir, ils faisaient leurs achats
en hâte.
C'était un samedi, ils achetaient pour le dimanche
et rentraient chez eux à toute allure.

Je me souviens de ce jour comme si c'était hier :
les cars de police sillonnaient les rues de Berlin,
arrachant les gens à leurs maisons.
Ils les raflaient dans les usines, les demeures,
partout,
pour les concentrer en un endroit appelé
le « Klu ».
Le « Klu » était un restaurant-dancing; très grand.
De là ils furent déportés en plusieurs transports.

Ils embarquaient pas loin d'ici, à la gare
de Grünewald.
Et c'est le jour où...
soudain, je me suis sentie tellement seule,
tellement abandonnée :
désormais, je savais que nous ne serions qu'une
poignée;
combien y aurait-il d'autres clandestins ?
Et je me sentais si coupable de ne pas m'être
laissé déporter,
d'avoir tenté d'échapper à un destin
que les autres ne pouvaient fuir.

Il n'y avait plus de chaleur,
plus une âme fraternelle, comprenez-vous ?
Nous ne pensions qu'à eux : « Et Elsa ? Et Hans ?
Et où est-il, et où est-elle ?
Mon Dieu, et l'enfant ? »
Telles étaient nos pensées en ce jour d'horreur.
Et par-dessus tout, se sentir si seule
et si coupable
de ne pas être partie avec eux.

Pourquoi avons-nous essayé ? Quelle force nous a poussés à fuir ce qui était vraiment notre destin et celui de notre peuple ?

Franz Suchomel, SS Unterscharführer.

Vous êtes prêt ?

Oui.

Nous pouvons...

On peut commencer.

Comment va votre cœur ? Tout est en ordre ?

Oh ! mon cœur, pour l'instant, ça va.
Si j'ai des douleurs, je vous le dirai,
il faudra interrompre.

Oui, bien sûr.
Mais votre santé, en général...

Oh ! le temps aujourd'hui me convient très bien.
Haute pression barométrique, c'est bon pour moi.

En tout cas, vous semblez en pleine forme.
Bon. Nous allons commencer par Treblinka.

Je vous en prie.

Oui, je crois que c'est le mieux.
Si vous pouviez nous donner
une description de Treblinka.
Comment était Treblinka à votre arrivée ?
Je crois que vous êtes arrivé à Treblinka en août ?
Le 20. Ou le 24 août ?

Le 18.

Le 18 ?

Je ne sais plus exactement.
Aux environs du 20 août...
je suis arrivé avec sept autres de mes camarades.

De Berlin ?

De Berlin.

De Lublin ?

De Berlin à Varsovie, de Varsovie à Lublin,
de Lublin retour à Varsovie et de Varsovie
à Treblinka.

Oui. Et comment était Treblinka à cette époque ?

Treblinka à cette époque tournait à plein régime.

Plein régime ?

Plein régime.
Il arrivait...
On était alors en train de vider le ghetto
de Varsovie.
En deux jours sont arrivés environ trois trains,
avec toujours trois, quatre, cinq mille personnes,
toutes de Varsovie.
Mais en même temps arrivaient aussi des trains
en provenance de Kielce et d'autres lieux.
Trois trains sont donc arrivés,
et comme l'offensive contre Stalingrad battait
son plein,
on a laissé les transports de Juifs en plan
dans une gare.
En plus, c'étaient des wagons français,
ils étaient en tôle.
Si bien que sont arrivés à Treblinka cinq mille
Juifs,
et parmi eux il y avait trois mille morts.

Dans les wagons ?

Dans les wagons.
Ils s'étaient ouvert les veines, ou étaient morts
comme ça...
On a déchargé des demi-morts
et des demi-fous.

Dans les autres trains en provenance de Kielce
et d'ailleurs,
la moitié au moins étaient morts.

On les a entassés ici, ici,
ici et ici.
C'étaient des milliers d'humains
empilés les uns sur les autres...

Sur la rampe ?

Sur la rampe.
Empilés comme du bois.

Mais aussi
d'autres Juifs, vivants, attendaient là depuis deux jours,
car les petites chambres à gaz n'y suffisaient plus.
Elles fonctionnaient jour et nuit, en ce temps-là.

Mais pouvez-vous, je vous prie, décrire très précisément votre première impression de Treblinka.
Très exactement.
C'est très important.

La première impression de Treblinka pour moi
et pour une partie de mes camarades a été catastrophique.
Car on ne nous avait pas dit
comment et quoi... Que là-bas on tuait les gens.
On ne l'avait pas dit.

Vous ne saviez pas.

Non.

Mais c'est incroyable !

Mais c'est ainsi. Je ne voulais pas y aller.
Ça a été prouvé à mon procès.
On m'avait dit :
« Monsieur Suchomel, il y a là-bas de grands ateliers de tailleurs et de cordonniers,
et vous allez les surveiller. »

Mais vous saviez que c'était un camp ?

Oui. On m'avait dit :
« Le Führer a ordonné des *actions de transfert.*
C'est un *ordre du Führer.* »

De transfert...

Actions de transfert.
On n'a jamais dit « tuer ».

Oui, oui, je comprends.

Monsieur Suchomel, nous ne parlons pas
de vous, mais seulement de Treblinka.
Car votre témoignage est capital
et vous pouvez expliquer ce qu'était Treblinka.
Mais ne citez pas mon nom.
Non, non, je vous l'ai promis.
Bon, vous arrivez à Treblinka.
Alors le juteux, Stadie,
nous a montré le camp,
en long et en large...
et juste au moment où nous passions, ils étaient
en train d'ouvrir les portes de la chambre à gaz...
et les gens sont tombés comme des pommes de
terre.
Bien sûr, cela nous a épouvantés et choqués.
Nous sommes retournés nous asseoir
sur nos valises,
et nous avons pleuré comme des vieilles femmes.

On choisissait chaque jour cent Juifs
pour traîner les cadavres vers les fosses.
Le soir, les Ukrainiens chassaient ces Juifs
dans les chambres à gaz, ou ils les abattaient.
Chaque jour.

C'était la grosse chaleur d'août.
La terre ondulait
– comme les vagues –, à cause des gaz.
Des cadavres ?
Imaginez cela : les fosses avaient peut-être six,
sept mètres de profondeur,
et toutes bondées de cadavres.
Une mince couche de sable, et la chaleur.
Vous voyez ?
C'était un enfer, là-haut.
Vous avez vu cela ?
Oui. Une seule fois, le premier jour.

Alors nous avons dégueulé et pleuré.

Pleuré ?

Pleuré aussi, oui.

L'odeur était infernale.

Infernale ?

Oui, car les gaz s'échappaient sans arrêt.
Ça puait horriblement, ça puait à des kilomètres...

Kilomètres ?

A des kilomètres.

On sentait l'odeur partout ?
Et pas seulement dans le camp ?

Partout. C'était selon le vent. La puanteur
était portée par le vent.
Comprenez-vous ?

Il arrivait toujours plus de gens, toujours plus
qu'on n'avait pas les moyens de tuer.
Ces messieurs voulaient vider le ghetto
de Varsovie au plus vite.
Les chambres à gaz avaient une trop faible
capacité.
Les petites chambres à gaz.

Les Juifs devaient attendre leur tour un jour,
deux jours, trois jours.

Ils pressentaient leur sort.
Ils le pressentaient.
Ils étaient peut-être dans le doute,
mais plus d'un savait.
Par exemple, il y avait des femmes juives
qui, la nuit, ouvraient les veines de leurs filles,
puis se les ouvraient à elles-mêmes.
D'autres s'empoisonnaient.

Ils entendaient le bruit du moteur qui alimentait
la chambre à gaz.
C'était un moteur de tank.

A Treblinka on n'a utilisé que le gaz
d'échappement des moteurs.
Le Zyklon, c'est Auschwitz.

A cause de l'attente,
Eberl – Eberl était le commandant du camp –
a téléphoné à Lublin. Il a dit :
« On ne peut plus continuer ainsi, je ne peux plus,
il faut interrompre. »
Et une nuit, Wirth est arrivé.
Il a tout inspecté, il est reparti aussitôt.
Et il est revenu avec des gens de Belzec...
des praticiens.
Et Wirth a obtenu un arrêt des transports.

On a déblayé les cadavres qui gisaient là.
C'était la période des vieilles chambres à gaz.
Et comme tant de gens tombaient, comme il y
avait tant de morts
dont on ne pouvait se débarrasser,
les corps s'amoncelaient autour des chambres à
gaz
et y demeuraient pendant des jours.
Et sous ces tas de cadavres il y avait un cloaque,
un cloaque de dix centimètres avec du sang,
des vers et de la merde.
Personne ne voulait enlever ça.
Les Juifs préféraient se faire fusiller
plutôt que de travailler là-haut.

Plutôt se faire fusiller ?

C'était effroyable. Enterrer les leurs et voir
de leurs yeux...
La chair des cadavres leur restait dans les mains.

Alors Wirth y est allé lui-même,
avec quelques Allemands...
et il a fait tailler de longues courroies
qu'on passait autour du torse des cadavres pour les tirer.

Qui a fait cela ?

Des Allemands.

Wirth ?

Des Allemands et des Juifs.

Des Allemands et des Juifs !
Mais des Juifs aussi ?

Des Juifs aussi.

Oui. Mais que faisaient les Allemands ?

Ils forçaient les Juifs...

Ils les battaient ?

... ou ils participaient eux-mêmes au déblaiement.

Quels Allemands ont fait cela ?

Des hommes de notre garde qui avaient été
détachés là-haut.

Les Allemands eux-mêmes ?

Ils y ont été obligés.

Ils commandaient !

Ils commandaient... Ils étaient commandés...
et commandaient aussi.

Pour moi, ce sont les Juifs qui l'ont fait.

En pareil cas, les Allemands devaient mettre
la main à la pâte.

Filip Müller, juif tchèque, survivant des cinq liquidations du « commando spécial » d'Auschwitz.

Filip, ce dimanche de mai 1942
où tu as, pour la première fois,
pénétré dans le crématoire d'Auschwitz 1,
quel âge avais-tu ?

Vingt ans.

C'était un dimanche, en mai.
Au bloc 11, nous étions enfermés dans une cellule souterraine.
Nous étions au secret
quand survinrent quelques SS
qui nous escortèrent par une des rues du camp.

Nous sommes passés par une porte,
et à environ cent mètres,
cent mètres de la porte,
m'est apparu soudain un bâtiment,
un bâtiment plat avec une cheminée.
Sur l'arrière j'ai vu une entrée,
j'ignorais où on nous menait, je croyais
qu'on allait nous exécuter.
Tout à coup, devant une porte,
sous une petite lanterne au milieu de ce bâtiment,
un jeune Unterscharführer a hurlé :
« Dedans, ordures, cochons ! »

Et nous nous sommes retrouvés dans un corridor.
Il nous a chassés dans le corridor.
Aussitôt, la puanteur, la fumée m'ont suffoqué.
Nous avons couru encore
et alors j'ai distingué les contours
des deux premiers fours.
Et entre les fours s'activaient quelques détenus juifs.

Nous nous trouvions dans la salle d'incinération
du crématoire
du camp 1 d'Auschwitz.

Et de là on nous a poussés vers
une autre grande salle.

Et nous avons reçu l'ordre de dévêtir
les cadavres.
Je regarde autour de moi...
il y a des centaines de corps.
Ils étaient habillés.
Entre les cadavres, pêle-mêle,
des valises, des paquets...
et, disséminés un peu partout,
d'étranges cristaux bleu-violet.
Mais tout m'était incompréhensible.
C'est comme un choc à la tête,
comme si vous étiez foudroyé.
Je ne savais même pas où je me trouvais !
Et comment était-il possible
de tuer tant de gens à la fois !

Nous en avions déjà dévêtu quelques-uns
quand l'ordre fut donné d'alimenter les fours.
Soudain un Unterscharführer se rua vers moi
et me dit :
« Sors d'ici, va remuer les cadavres ! »

Mais que signifiait
« remuer les cadavres » ?
Je suis entré dans la salle de crémation.
Il y avait là un détenu juif,
Fischel, qui plus tard est devenu chef d'équipe.
Il m'a regardé, et j'ai vu
comment il fourgonnait le four avec une grande
tige.
Il me dit alors : « Fais comme moi,
sinon le SS t'assomme. »
J'ai pris une pique
et je l'ai imité.

Une pique ?

Un pique-feu en fer.
Et j'ai obéi à l'ordre de Fischel.

J'étais à cet instant en état de choc,
comme hypnotisé,
prêt à exécuter tout ce qui m'était commandé.
J'avais tellement perdu la raison,
j'étais si épouvanté
que j'ai fait tout ce que Fischel m'a dit.
Donc les fours ont été alimentés,
mais nous étions inexpérimentés...
et nous avons laissé tourner les ventilateurs
plus longtemps qu'il n'aurait fallu.

Les ventilateurs ?

Oui. Il y avait des ventilateurs pour attiser le feu.
Ils ont fonctionné pendant trop longtemps.
Les briques réfractaires ont tout à coup éclaté,
et les canalisations qui reliaient le crématoire
d'Auschwitz à la cheminée
ont été obstruées.

La crémation s'est interrompue.
Les fours ne fonctionnaient plus.

Et plus tard, dans la soirée,
des camions sont arrivés,
et nous avons dû charger le reste,
environ trois cents cadavres,
sur les camions,
et on nous a embarqués...
aujourd'hui encore je ne sais pas où,
mais c'était selon toute vraisemblance un champ
à Birkenau.
Nous avons reçu l'ordre de décharger les
cadavres
et de les mettre dans une fosse.
Il y avait une fosse, une fosse artificielle...
tout à coup, de l'eau souterraine a jailli
et a entraîné les corps vers le fond.

Dans la nuit,
nous dûmes arrêter cet horrible travail
et on nous ramena à Auschwitz.

Le lendemain nous fûmes reconduits au même endroit.
Mais l'eau avait encore monté.
Une voiture de pompiers est arrivée avec des SS
et ils ont pompé l'eau.
Nous avons dû descendre dans cette fosse boueuse,
afin d'y entasser les cadavres.
Mais ils étaient gluants...
Par exemple, quand j'ai voulu prendre une femme, ses mains...
sa main était glissante, gluante,
et j'ai voulu la tirer...
mais je suis tombé en arrière, dans l'eau,
dans la boue.
Et c'était pareil pour nous tous.
Là-haut, au bord de la fosse, Aumeyer et Grabner hurlaient :
« Remuez-vous, ordures, salauds ! »
« On va vous mater, tas de merdeux ! »
Et dans ces... dans ces...
circonstances, si je puis dire, il y avait deux de mes camarades
qui n'en pouvaient plus. Parmi eux, un étudiant français.

Juif ?

Tous juifs... Ils étaient à bout de forces.
Et ils sont restés là, couchés dans la glaise.
Alors Aumeyer a appelé
un de ses SS :
« Vas-y, finis-moi ces ordures ! »
Ils étaient à bout. Et mes camarades ont été tués sur place.

A Birkenau, il n'y avait pas de crématoires à cette époque ?

Non. Il n'y en avait pas encore.
Birkenau n'était pas achevé.
Seul le camp B1 – devenu plus tard le camp des femmes – existait.
C'est seulement au printemps 1943 que des ouvriers qualifiés, et des manœuvres, tous juifs, ont dû travailler ici
et construire les quatre crématoires.

Chaque crématoire avait quinze fours,
un grand vestiaire d'environ 280 m^2
et une grande chambre à gaz
où on pouvait gazer jusqu'à trois mille personnes à la fois.

Franz Suchomel.

En septembre 1942, on a édifié les nouvelles chambres à gaz.

Qui les a construites ?

Sous la direction de Hackenhold et de Lambert,
ce sont les Juifs qui ont fait ce travail.
Le gros œuvre tout au moins.
Les portes, ce sont des charpentiers ukrainiens qui les ont bâties.
Quant aux portes mêmes des chambres à gaz,
c'étaient des portes blindées de bunkers.
On les a amenées je crois de Bialystok, il y avait là-bas des bunkers russes.

Quelle était la capacité des nouvelles chambres à gaz ?
Il y en avait deux, non ?

Oui. Mais les anciennes n'ont pourtant pas été démolies.
Quand les transports étaient nombreux,
on les réutilisait.

Et ici... les Juifs disent qu'il y en avait cinq
de chaque côté,
moi je dis quatre,
mais je n'en suis pas sûr.
En tout cas, seule la rangée du haut, ce côté-là,
était en action.

Et pourquoi pas l'autre côté ?

Parce que le transport des cadavres aurait été
trop compliqué.

Trop loin ?

Oui. Car Wirth a fait construire là-haut
le « camp de la mort »
et il y a affecté un commando
de « Juifs du travail ».
C'était un commando fixe
d'environ deux cents personnes
qui ont toujours travaillé
dans le « camp de la mort ».

Mais quelle était la capacité des nouvelles chambres à gaz ?

Les nouvelles chambres à gaz... Voyons...
On pouvait en finir avec trois mille personnes
en deux heures.

Mais combien de personnes à la fois dans une seule chambre à gaz ?

Moi, je ne peux pas vous le dire exactement.
Les Juifs disent deux cents.

Deux cents ?

Oui, deux cents.
Imaginez une pièce de la taille de celle-ci.

A Auschwitz on en mettait plus !

Mais Auschwitz était une usine !

Et Treblinka ?

Je vais vous donner ma définition.
Retenez ça :
Treblinka était une chaîne de mort,
primitive certes,
mais qui fonctionnait bien.

Une chaîne ?

... de mort. Vous comprenez ?

Oui.

Mais primitive ?

Primitive. Oui, primitive.
Mais elle fonctionnait bien, cette chaîne de mort.

Et Belzec était plus primitif ?

Belzec était le laboratoire.
C'est Wirth qui commandait le camp.
Et Wirth là-bas a fait tous les essais imaginables.
Au début, il s'y est mal pris.
Les fosses débordaient,
le cloaque dégoulinait devant le réfectoire des SS.
Ça puait... Devant le réfectoire...
Devant leur baraquement.

Avez-vous été à Belzec ?

Non. Wirth avec ses hommes à lui...
avec Franz, avec Oberhauser
et Hackenhold, a tout essayé là-bas.
Ces trois-là devaient placer eux-mêmes
les cadavres dans la fosse,
afin que Wirth sache de combien d'espace il avait besoin.
Quand ils ne voulaient pas le faire –
Franz refusait –,
Wirth battait Franz à coups de fouet,
et Hackenhold aussi, vous voyez ?

Kurt Franz ?

Kurt Franz.
Tel était Wirth. Et, fort de cette expérience,
il est arrivé à Treblinka.

Munich.
Dans une brasserie, Joseph Oberhauser.

Dites-moi... Combien
de litres de bière débitez-vous par jour ?

Vous ne pouvez pas répondre ?

J'ai mes raisons.

Pourquoi non ? Combien de litres de bière débitez-vous par jour ?

Autre serveur de la brasserie.

Allez, dis-le-lui !

Joseph Oberhauser.

Lui dire quoi... ?

Autre serveur de la brasserie.

A peu près. Dis-lui à peu près !

Joseph Oberhauser.

Quatre, cinq hectolitres.

Combien ?

Quatre, cinq hectolitres.

Quatre, cinq hectolitres. C'est beaucoup. Et vous travaillez ici depuis longtemps ?

Vingt ans environ.

Vingt ans. Mais pourquoi dissimuler...

J'ai mes raisons.

... votre visage ?

J'ai mes raisons.

Quelles raisons ? Mais pourquoi, dites-moi !

Reconnaissez-vous cet homme ?

Non ? Christian Wirth...
Monsieur Oberhauser !

Vous nous rappelez Belzec ?
Vous avez des souvenirs de Belzec ? Non ?
Et les fosses qui débordaient ?
Vous n'avez pas de souvenir ?

M. Spiess, procureur général du procès de Treblinka, qui s'est tenu à Francfort en 1960.

Le début de l'*Action* elle-même a été caractérisé
par une improvisation totale.
A Treblinka, par exemple,
Eberl, le commandant, a laissé venir
plus de transports que le camp n'était
en situation d'en « traiter ».
Ça a été la catastrophe.
Des montagnes de cadavres !

La nouvelle de cette impéritie
parvint au chef de l' « Aktion Reinhard »,
Odilo Globocznik, à Lublin.
Globocznik se rendit à Treblinka
pour se faire une idée de la situation.
On a une relation très concrète de ce voyage par
le récit de son ancien chauffeur, Oberhauser.
C'était une chaude journée d'août...
De tout le camp montait l'odeur
de la chair putréfiée.
Globocznik n'a même pas pris la peine
de pénétrer à l'intérieur

il s'est arrêté ici, devant le bloc du commandant.
Il a convoqué le docteur Eberl
et l'a salué par ces mots :
« Comment oses-tu en accepter autant chaque jour
quand tu ne peux en " finir " que trois mille ? »
Les opérations furent alors interrompues,
Eberl fut relevé, Wirth vint,
suivi aussitôt par Stangl,
et le camp fut entièrement réorganisé.
L' « Aktion Reinhard » englobait les trois camps d'extermination :
Treblinka, Sobibor et Belzec.
On parle aussi des trois camps d'extermination sur le Bug,
car ils se trouvaient tous sur le Bug ou tout près du fleuve Bug.

Les chambres à gaz étaient le cœur du camp :
on les construisait en premier,
soit dans un bois, soit dans un champ comme à Treblinka.
Les chambres à gaz étaient les seuls bâtiments de pierre.
Tous les autres étaient des baraquements de bois :
ces camps n'étaient pas faits pour durer.
Himmler avait hâte de démarrer la « solution finale ».
Il fallait profiter de l'avance allemande vers l'Est
pour perpétrer, dans cet arrière-pays lointain,
aussi secrètement que possible, le meurtre de masse.

Au début, donc, il n'y a pas eu
la perfection atteinte trois mois plus tard.

Jan Piwonski (Sobibor).

Vers la fin de mars 1942,
on a fait venir ici des groupes assez importants de Juifs,
entre cinquante et cent personnes.
Plusieurs trains sont arrivés
avec des éléments de baraques, des poteaux,
avec des barbelés, avec des briques,
et on a commencé la construction proprement dite du camp.
Les Juifs déchargeaient ces wagons
et transportaient les parties de ces baraques vers le camp.
Le rythme de travail imposé par les Allemands
était extrêmement rapide.
En voyant ce rythme auquel ils ont travaillé
– c'était d'une brutalité extrême –,
en voyant cette installation, puis cette enceinte
qui quand même ont délimité une superficie assez grande,
nous avons compris que ce que les Allemands
étaient en train de construire
ne servirait pas les hommes.

Au début de juin,
le premier convoi est arrivé.
Il avait peut-être plus de quarante wagons.
Ce convoi était accompagné de SS en uniforme noir.
Ça s'est passé un après-midi,
juste quand je finissais de travailler.

... Mais il a pris sa bicyclette et il est reparti chez lui.

Pourquoi ?

Je pensais tout simplement
que ces personnes étaient arrivées là
pour travailler à la construction du camp,
comme les autres qui y avaient travaillé avant.
Ce convoi-là,
on ne pouvait pas savoir
qu'il était le premier destiné à l'extermination.
Et d'ailleurs on ne pouvait pas savoir
que Sobibor serait un lieu d'extermination
de masse de la nation juive.
Le lendemain matin,
quand je suis venu ici pour travailler,
un silence idéal régnait à la gare,
et nous avons compris, après les conversations
avec le personnel polonais de la gare
qui travaillait ici,
qu'une chose tout à fait incompréhensible
s'était passée.

Tout d'abord, quand on construisait le camp,
il y avait des ordres criés en allemand,
il y avait des cris, il y avait des Juifs
qui travaillaient en courant,
il y avait des coups de feu,
mais là, il y avait ce silence, il n'y avait pas de commandos de travail,
un silence vraiment idéal.
Il y avait quarante wagons qui sont arrivés,
et puis rien,
alors c'était quelque chose de très étrange.

C'est le silence qui leur a fait comprendre ?

C'est ça. Oui.

Est-ce qu'il peut décrire ce silence ?

C'était un silence...
Rien ne se passait à l'intérieur du camp,
on ne voyait rien, on n'entendait rien,
aucun mouvement.

Alors là ils ont commencé à se demander :
« Ces Juifs, où est-ce qu'on les a mis ? »

Filip Müller.

Dans le bloc 11, à Auschwitz 1,
dans la cellule n° 13,
était détenu le commando spécial.
Cette cellule était souterraine, isolée;
nous étions désormais
des « porteurs de secret », des morts en sursis.
Nous ne devions parler à personne,
n'entrer en contact avec aucun prisonnier.
Même pas avec les SS.
Sauf avec ceux qui étaient chargés
de l' « Aktion ».

Il y avait une fenêtre,
on entendait ce qui se passait dans la cour.
Les exécutions, les cris des suppliciés,
les hurlements. Mais nous ne pouvions pas voir.

Cela a duré ainsi quelques jours.
Une nuit survint un SS
de la section politique.
Il était environ quatre heures du matin.
Le camp était encore endormi, tout dormait dans
le camp.
Pas un bruit dans le camp.
Une fois encore on nous a fait sortir de notre
cellule
et on nous a conduits au crématoire.
Et là j'ai vu pour la première fois
comment les choses se passaient

avec les vivants.
On nous a alignés contre un mur
avec l'ordre formel de ne parler à personne.
Et soudain la porte en bois de la cour du crématoire
s'est ouverte sur un cortège de deux cent cinquante à trois cents personnes,
des gens âgés, des femmes.
Ils portaient des sacs... l'étoile de David.
Malgré la distance, j'ai compris
qu'il s'agissait de Juifs polonais,
originaires probablement de Haute Silésie,
du ghetto de Sosnowitz,
à environ trente kilomètres d'Auschwitz.
J'attrapais au vol certaines de leurs paroles.
J'entendais *fachowitz...*
ce qui signifie « travailleur qualifié ».
Et aussi *Malach-ha-Mawis...*
En yiddish, c'est l' « ange de la Mort »,
harginnen : « on va nous tuer ».
Et par ces mots que je saisissais,
je comprenais clairement quel combat se livrait en eux.
Tantôt ils parlaient de travail,
peut-être espéraient-ils encore...
tantôt ils évoquaient *Malach-ha-Mawis*, l'ange de la Mort.
La confrontation des mots traduisait celle des sentiments.
Soudain un silence pétrifia
le groupe assemblé dans la cour du crématoire.
Et tous les regards convergèrent
vers le toit plat du bâtiment.
Et qui se trouvait là ?
Aumeyer, le SS,
Grabner, le chef de la section politique,
et l'Untersturmführer Hössler.
Alors Aumeyer prit la parole :

« Vous êtes venus ici pour travailler
pour nos soldats qui se battent au front.
Et pour ceux qui travailleront, tout ira bien. »

Il était visible que les gens reprenaient un peu espoir.
Cela se sentait très nettement.
Les bourreaux avaient passé le premier obstacle.
Alors Grabner parla à son tour :
« Il nous faut des maçons,
il nous faut des électriciens.
Il nous faut tous les métiers. »
Et puis Hössler relaya Grabner.
Du doigt, il désigne, dans la foule,
un petit homme.
Je le vois encore aujourd'hui.
« Quel est votre métier ? »
L'homme dit :
« Monsieur l'officier, je suis tailleur.
– Vous êtes tailleur ? Quoi, comme tailleur ?
– Pour hommes. Non; pour hommes et pour femmes aussi.
– Formidable ! Il nous faut des gens comme ça dans nos ateliers ! »
Et alors il interroge une femme :
« Quel est votre métier ?
– Infirmière.
– Bravo ! Nous avons besoin d'infirmières dans nos hôpitaux, pour nos soldats.
Nous avons besoin de vous tous. Mais d'abord, déshabillez-vous...
vous devez passer à la désinfection.
Votre santé nous importe. »
J'ai vu qu'ils semblaient plus tranquilles,
rassérénés par ce qui leur avait été dit,
et ils ont commencé à se dévêtir.

Même s'ils doutaient...
Qui veut vivre est condamné à l'espoir.

Les vêtements étaient restés dans la cour.
Partout, éparpillés.
Aumeyer rayonnait, très fier de la façon
dont il avait procédé.
Il se retourna vers quelques-uns de ses SS
et leur dit :
« Voilà la méthode ! Faites ainsi ! »
Par ce subterfuge,
un véritable saut qualitatif avait été accompli :
on pouvait désormais utiliser les vêtements.

Raul Hilberg, historien (Burlington, Etats-Unis).

Je n'ai pas commencé par les grandes questions,
car je craignais de maigres réponses.
J'ai choisi, au contraire, de m'attacher
aux précisions et aux détails,
afin de les organiser en une « forme »,
une structure qui permette
sinon d'expliquer, du moins de décrire
plus complètement ce qui s'est passé.
C'est ainsi que j'ai considéré le processus
bureaucratique de destruction –
ce fut cela en effet –
comme une suite d'étapes se succédant
en un ordre logique,
et découlant par-dessus tout de l'expérience,
l'expérience passée.
Cela vaut tant pour les mesures administratives
que pour l'arsenal psychologique et même pour la
propagande.
Etonnamment peu fut inventé,
jusqu'au jour où, bien sûr, il fallut aller au-delà

de tout ce qui avait déjà été fait et gazer ces gens,
c'est-à-dire les anéantir en masse.
Alors ces bureaucrates devinrent des inventeurs.
Mais comme tous les fondateurs,
ils n'ont pas breveté leurs accomplissements,
ils ont préféré l'obscurité.

Qu'ont-ils pris du passé, les nazis ?

Le contenu même des lois qu'ils promulguèrent,
par exemple l'exclusion des Juifs des charges publiques,
l'interdiction des mariages mixtes, l'interdiction
d'employer des domestiques aryennes
de moins de quarante-cinq ans,
les décrets de « marquage », en particulier l'étoile
jaune, le ghetto obligatoire,
la mise sous tutelle de tout testament de Juif
rédigé en vue d'exclure
de l'héritage un chrétien.
Un grand nombre de ces mesures avaient été
façonnées au cours du temps,
pendant plus de mille ans,
par les autorités de l'Eglise,
puis par les gouvernements séculiers
qui marchèrent sur leurs traces.
Et l'expérience ainsi accumulée devint
un réservoir
où ils puisèrent en vérité à un point étonnant.

Vous pensez qu'on peut comparer chaque mesure ?

On peut comparer un grand nombre de lois et
décrets allemands avec leurs répondants
dans le passé
et établir d'absolus parallèles,
même dans le détail,
comme s'il existait une mémoire
qui se prolongeait automatiquement jusqu'aux
années 1933, 1935, 1939 et au-delà.

A cet égard, ils n'ont rien inventé ?

Ils ont très peu inventé, même pas le portrait du Juif qu'ils ont emprunté
à des textes remontant au XVIe siècle.
Ainsi même la propagande,
monde de l'imagination, de l'invention,
même là, ils furent à la remorque de leurs prédécesseurs,
de Martin Luther au XIXe siècle.
Là encore, ils n'inventèrent pas.
Ils inventèrent avec la Solution finale.
Ce fut leur grande invention et c'est en quoi le processus entier fut différent de tout ce qui avait précédé.
A cet égard,
ce qui s'est produit, lorsque la Solution finale fut adoptée ou, pour être plus précis,
lorsque la bureaucratie en fit sa chose,
fut un tournant dans l'Histoire.
Même ici, je suggérerais une progression logique qui vint à maturation
dans ce qu'on pourrait appeler une culmination.
Car dès les premiers temps, dès le IVe siècle,
le Ve et le VIe siècle,
les missionnaires chrétiens avaient dit aux Juifs :
« Vous ne pouvez pas vivre parmi nous comme Juifs. »
Les chefs séculiers qui les suivirent dès le haut Moyen Age décidèrent alors :
« Vous ne pouvez plus vivre parmi nous. »
Enfin les nazis décrétèrent : « Vous ne pouvez plus vivre. »

Donc les trois étapes furent :
la première, la conversion,
suivie par la ghettoïsation...

L'expulsion. Et la troisième fut la solution territoriale,
celle qui fut mise en œuvre dans les territoires sous contrôle allemand, excluant l'émigration :

la Mort,
la Solution finale.
Et la Solution finale, voyez-vous,
est véritablement finale,
car les convertis peuvent toujours rester juifs
en secret,
les expulsés peuvent un jour revenir,
mais les morts ne réapparaîtront jamais.

Et s'agissant de la dernière phase,
ils furent vraiment des pionniers ?

Oui, c'était sans précédent et totalement neuf.

Et comment peut-on donner
une idée de cette absolue nouveauté,
car je pense que pour eux-mêmes aussi,
c'était neuf ?

Oui, c'était neuf et c'est la raison pour laquelle
on ne peut trouver un seul document,
un plan spécifique, un « mémo » qui stipule noir
sur blanc :
« Désormais les Juifs seront tués. »
Tout se déduit de formulations générales.

Formules générales ?

Oui, le terme même de Solution finale, totale
ou territoriale,
permet au bureaucrate d' « inférer » à partir de là.
On ne peut lire tel document,
même la lettre de Goering à Heydrich (été 1941),
qui le charge en deux paragraphes
de procéder à la Solution finale,
et examinant ce texte,
considérer que tout est élucidé, loin de là.

Loin de là ?

Oui. C'était une autorisation d'inventer,
de commencer quelque chose
qui ne pouvait pas jusqu'ici être mis en mots.
C'est ainsi que je vois les choses.

Et c'était vrai dans tous les domaines ?

Absolument.

A chaque phase de l'opération il fallut inventer.
Certainement, à ce point,
car chaque problème était sans précédent :
non seulement comment tuer les Juifs,
mais que faire de leurs biens et comment
empêcher le monde de savoir ?
Cette multitude de problèmes... Tout était neuf.

Franz Schalling (Allemagne).

Tout d'abord, expliquez-moi :
comment êtes-vous arrivé à Kulmhof,
à Chelmno ? Vous étiez à Lodz, non ?

A Lodz, oui.

A Litzmannstadt ?

A Litzmannstadt, oui.
Là-bas, nous montions interminablement
la garde.
Protection d'objectifs : les moulins,
les voies, quand Hitler se rendait
en Prusse-Orientale.
C'était un peu morne et on nous a dit :
« On cherche des hommes qui veulent sortir
de ce train-train. »
Nous en fûmes.
Nous avons « touché » un uniforme d'hiver,
manteau, bonnet de fourrure,
bottes fourrées, etc.,
et au bout de deux ou trois jours on nous a dit :
« En route ! »
On nous a embarqués sur deux, trois camions...
je ne sais plus... avec des banquettes,
et nous avons roulé, roulé,
et nous sommes arrivés.

Ça grouillait de SS et de police.
Notre première question : « On fait quoi ici ?
— Vous verrez bien ! »

Vous verrez bien ?

Vous verrez bien !

Vous n'étiez pas dans la SS mais...

La police.

Quelle police ?

« Protection ! »
Et puis, ordre de rassemblement :
« A la Deutsches Haus ! »,
le seul grand bâtiment de pierre du village.
On nous a fait entrer.
Et aussitôt un homme de la SS a dit :
« Devoir de secret ! »

Secret ?

« Devoir de secret ».
« Signez ça. » Chacun de nous a dû signer.
Il y avait un formulaire préparé pour chacun.

Quel en était le contenu ?

« Devoir... devoir de secret », etc.
On ne l'a même pas lu en entier.

Vous deviez prêter serment ?

Non, notre signature. Signer
qu'on la fermerait sur tout ce qu'on verrait.

« La fermer » ?

Pas un mot. Après que
nous avons tous signé, on nous a dit :
« Solution finale de la question juive. »
Nous ne comprenions pas.

Ah ! Quelqu'un a dit...

Il a annoncé ce qui allait se passer là.

Quelqu'un a dit : « Solution finale... » ?
Vous seriez chargés de la « Solution finale » ?

Oui. Mais qu'est-ce que ça voulait dire,
on n'avait jamais entendu ça !
Alors il nous a expliqué.

C'était quand exactement ?

Voyons... quand était-ce ?...
en hiver, hiver 1941-1942.
Ensuite on nous a affectés à nos postes.
Notre poste de garde était au bord de la route.
Devant le château, une guérite.

Vous étiez donc dans le « commando du château » ?

Oui.

Pouvez-vous décrire ce que vous avez vu ?

Nous pouvions voir, nous étions au porche.
Quand les Juifs arrivaient, des loques...
A moitié gelés, affamés, sales...
Déjà à moitié morts. Des vieux, des enfants.
Imaginez ! Le long voyage
en camion, debout, entassés !
Se doutaient-ils ? Impossible de le savoir.
Ils se méfiaient, ça c'est sûr.
Après des mois de ghetto, imaginez !
J'entendais un SS les haranguer :
« On va vous épouiller,
vous baigner,
vous travaillerez ici. »
Les Juifs donnaient leur consentement :
« Oui, c'est ce que nous voulons. »

Le château était grand ?

Assez grand. Avec un vaste perron,
et c'est là, en haut des marches,
que se tenait le SS.

Et ensuite, que se passe-t-il ?

On chassait les Juifs au premier étage, dans deux,
trois grandes salles.
Ils devaient s'y dévêtir, tout donner.
Les bagues, l'or, tout.

Oui.
Et combien de temps les Juifs restaient-ils là ?

Le temps de se dévêtir.
Puis, tout nus, ils dévalaient un autre escalier

jusqu'à un couloir souterrain
par lequel ils remontaient vers la rampe
où les attendait le camion à gaz.

Les Juifs entraient-ils de leur plein gré dans ce camion ?

Non, on les battait.
Ils tapaient dans le tas.
Et les Juifs comprenaient, ils criaient...
Affreux ! C'était affreux !
Je le sais car nous descendions
à la cave quand ils étaient tous dans le camion.
Nous y ouvrions les cellules des « Juifs du travail »
qui devaient ramasser,
dans la cour, les objets jetés par la fenêtre du premier étage.

Décrivez-moi les camions à gaz.

Des poids lourds.

Très grands ?

Euh... voyons..
d'ici à la fenêtre.
De simples camions
de déménagement, avec deux portes à l'arrière.

Et quel était le système ?
Comment, avec quoi tuait-on ?

Les gaz d'échappement.

Les gaz d'échappement ?

Ça se passait ainsi : un des Polonais criait :
« Gaz ! »
Alors le chauffeur allait sous le camion,
pour y fixer le tuyau
qui permettait le passage du gaz vers l'intérieur du véhicule.
Le gaz du moteur.

Comment le gaz pénétrait-il ?

Par un boyau. Un conduit.
Il trafiquait sous le camion,
quoi au juste, je ne sais pas.

C'était seulement le gaz d'échappement ?
Oui.
Qui étaient les chauffeurs ?
C'étaient des SS.
Tous ces gens-là étaient SS.
Etaient-ils nombreux, ces chauffeurs ?
Je ne sais pas.
Ils étaient, deux, trois, cinq, dix ?
Non, pas tant, deux ou trois, pas plus.
Il y avait, je crois, deux camions...
Un grand et un plus petit, il me semble.
Donc, le chauffeur s'installait...
dans la cabine ?
Oui, il montait dans la cabine après la fermeture des portes et il démarrait le moteur.
Il mettait pleins gaz ?
Ça, je ne sais pas, je ne sais pas.
Mais vous entendiez le bruit du moteur ?
Oui, on l'entendait tourner depuis la porte.
Et c'était fort comme bruit ?
Un bruit de moteur de camion.
Le camion était-il à l'arrêt quand le moteur tournait ?
Oui, il était à l'arrêt.
Oui...
Puis il se mettait à rouler,
nous ouvrions le portail et il partait vers la forêt.
Les gens étaient déjà morts ?
Ça, je ne sais pas.
C'était tranquille. Plus un cri.
Plus un cri ?
On n'entendait plus rien.

Mordechaï Podlechbnik,
survivant de la première période de l'extermination
à Chelmno (Kulmhof), la « période du château ».

Il se rappelle que c'était fin 1941,
deux jours avant le Nouvel An.
On les a fait sortir la nuit,
et le matin ils sont arrivés à Chelmno.
Il y avait là-bas un château.

Quand il est arrivé dans la cour du château,
il savait déjà que c'était terrible.
Il avait déjà compris.
Ils ont vu des vêtements, des chaussures
dispersés dans la cour.
Il a vu qu'il n'y avait personne à part eux
et il savait que ses parents étaient passés par là.
Et il ne restait aucun Juif.
On les a fait descendre dans une cave.
Sur les murs il y avait marqué :
« D'ici personne ne sort vivant. »
C'étaient des inscriptions en yiddish.
Il y avait beaucoup de noms.
Il pense que c'étaient des Juifs des petits villages
autour de Chelmno
qui étaient arrivés avant lui,
qui avaient écrit leurs noms.

Quelques jours après le Nouvel An, un matin,
ils ont entendu un camion arriver avec des gens.
Alors les SS ont sorti ces gens du camion
et les ont fait monter dans le château au premier
étage.
Les Allemands trompaient les gens en leur disant
qu'ils les conduisaient à une salle de bain.
On les a fait descendre de l'autre côté
où se trouvait un camion.

Les Allemands étaient à côté et les poussaient,
et les battaient avec des armes
pour qu'ils montent plus vite dans les camions.
Il a entendu des gens chanter le « *Shema Israël* »,
et il a entendu
qu'on a fermé les portes du camion.

On les entendait crier
et les cris devenaient de plus en plus faibles;
et quand le silence fut total,
le camion est parti.

On l'a fait sortir avec ses quatre compagnons
de cette cave,
ils sont montés
et ils ont rassemblé les habits qui étaient restés
devant cette supposée salle de bain.

Est-ce qu'il a compris comment ils mouraient,
à ce moment-là ?

Oui, il a compris.
D'abord parce que les rumeurs en parlaient.
Et quand il est sorti, il a vu les camions fermés.
Alors il savait déjà.

A-t-il compris que les camions étaient...
qu'on gazait les gens dans les camions même ?

Oui, parce qu'il a entendu tous les cris
et il a entendu comment ces cris s'affaiblissaient,
et qu'il a vu qu'ensuite,
les camions partaient vers le bois.

Et comment étaient ces camions ?

Les camions ressemblaient aux camions
qui livrent ici des cigarettes,
c'est-à-dire qu'ils sont fermés,
mais qu'à l'arrière, il y a deux portes battantes.

Quelle couleur ?

De la couleur des Allemands,
une couleur verte, comme ça.

Mme Michelsohn (Allemagne),
femme de l'instituteur nazi de Chelmno.

A Chelmno, à Kulmhof,
combien y avait-il de familles allemandes ?

Je dirais dix ou onze.
Des Allemands de Wolhynie et deux familles du Reich.
Les Bauer et nous.

Et vous ?

Nous, les Michelsohn...

Mais comment vous êtes-vous retrouvée
à Kulmhof ?

Je suis née à Laage,
j'ai été envoyée à Kulmhof.
Ils cherchaient des volontaires
pour la colonisation...
je me suis inscrite. Et je suis arrivée là-bas.
D'abord à Warthbrücken (*Kolo*),
puis à Chelmno, Kulmhof.

De Laage, directement...

Non, je suis partie de Munster.

Mais vous avez choisi Kulmhof ?

Non, j'avais choisi le Wartheland.

Pourquoi ?

« Esprit d'entreprise ! »

Vous étiez jeune ?

Oui, jeune, j'étais jeune.

Vous vouliez servir ?

Oui.

Et quelle a été votre première impression
du Wartheland ?

Primitif, archi-primitif.

C'est-à-dire ?

Pire encore,
pire que primitif.

C'est difficile à comprendre, non ?

Mais pourquoi...
Les sanitaires, c'était une vraie catastrophe.
Il n'y avait de W.-C. qu'à Warthbrücken,
le chef-lieu,
et c'est là qu'on allait.
Le reste, c'était une catastrophe.
Pourquoi une catastrophe ?
Les toilettes, ça n'existait pas !
Oui ?
C'étaient des cabanes.
On ne peut pas le décrire,
tellement c'était primitif !
C'est étonnant,
pourquoi avez-vous choisi un endroit aussi
primitif ?
Oh ! Quand on est jeune, on est prêt à tout.
On n'imagine pas que ça existe.
On n'y croit pas. Mais c'était comme ça.

C'était tout le village.
Un tout petit village.
Il s'étirait le long de la route,
juste quelques maisons.
Il y avait l'église, le château,
un magasin aussi,
le bâtiment administratif et l'école.
Le château jouxtait l'église.
Une haute palissade les entourait.
Oui.
Votre maison était à combien de mètres
de l'église ?
Juste en face, cinquante mètres.
Avez-vous vu ces camions à gaz ?
Non. Si, du dehors ! Ils faisaient la navette.
Mais je n'ai pas été voir à l'intérieur...
les Juifs dedans !

Je n'ai vu que le dehors,
l'arrivée des Juifs et leur expédition...
et comment on les chargeait.

Depuis la guerre de 1914-1918, le château
était une ruine.
Une partie seulement était utilisable
et c'est là qu'on amenait les Juifs.

C'est-à-dire que ce château en ruine...

... servait pour le logement,
l'épouillage des Polonais, etc.

Des Juifs !

Des Juifs, oui.

Pourquoi dites-vous « Polonais »
au lieu de dire « Juifs » ?

Oh ! Ça m'arrive de mélanger.

Mais il y a une différence entre Juifs et Polonais ?

Oh ! oui. Oh ! oui, oui !

Quelle différence ?

Eh bien... les Polonais n'ont pas été exterminés.
Et les Juifs l'ont été. Voilà la différence.
La différence externe, pas ?

Et l'interne ?

Ça, je ne peux pas en juger,
je ne suis pas assez versée
en psychologie et en anthropologie...
La différence entre Juifs et Polonais ?...
Ils se détestaient, ça c'est sûr.

Grabow (Pologne).
Claude Lanzmann lit une lettre devant un bâtiment
qui était autrefois la synagogue de Grabow.

Le 19 janvier 1942,
le rabbin de Grabow, Jacob Schulmann,
écrivait à ses amis de Lodz la lettre suivante :

« Mes très chers, je ne vous ai pas répondu jusqu'ici,
car je ne savais rien de précis sur tout ce qu'on m'a dit.
Hélas! pour notre grand malheur, nous savons déjà tout maintenant.
J'ai eu chez moi un témoin oculaire
qui, grâce à un hasard, fut sauvé.
J'ai tout appris de lui.
L'endroit où ils sont exterminés s'appelle Chelmno, près de Dombie,
et on les enterre tous dans la forêt voisine de Rzuszow.
Les Juifs sont tués de deux manières,
par les fusillades ou par le gaz.
Depuis quelques jours,
on amène des milliers de Juifs de Lodz
et on en fait de même avec eux.
Ne pensez pas que tout ceci vous soit écrit
par un homme frappé de folie.
Hélas! c'est la tragique, l'horrible vérité.
" Horreur, horreur, homme, ôte tes vêtements,
couvre ta tête de cendre, cours dans les rues
et danse, pris de folie. "
Je suis tellement las que ma plume ne peut plus écrire.
Créateur de l'univers viens-nous en aide! »

Le Créateur de l'univers n'est pas venu en aide aux Juifs de Grabow.
Avec leur rabbin,
ils ont tous été tués
dans les camions à gaz de Chelmno,
quelques semaines plus tard.

De Grabow à Chelmno, il y a exactement dix-neuf kilomètres.

Groupe de femmes.

Y avait-il beaucoup de Juifs ici à Grabow?
Beaucoup. Ils ont été déportés à Chelmno.
Et Madame a toujours habité près de la synagogue?
Oui, en polonais ça se dit *Buzinica*
et pas la synagogue, en langue populaire.
Elle dit que maintenant c'est un dépôt de meubles,
mais de toute façon ils n'y ont rien fait de mal au point de vue religieux,
ça n'a pas été profané.
Est-ce que Madame se souvient du rabbin de la synagogue?
Madame dit que maintenant, elle a quatre-vingts ans, alors elle se rappelle plus très bien,
parce que les Juifs ne sont plus là depuis au moins quarante ans.

Un couple à Grabow.

Barbara, dis à Monsieur et à Madame qu'ils habitent une très belle maison. Ils sont d'accord? Est-ce qu'ils la trouvent belle, cette maison?
Oui, oui.
Dis-moi, qu'est-ce que c'est la décoration de cette maison, des portes? Qu'est-ce que cela veut dire?
Autrefois on faisait des sculptures comme ça.
C'est eux qui l'ont décorée comme ça?
Non, non, c'est encore des Juifs.
C'étaient des Juifs...
Cette porte, elle a au moins cent ans.
Elle a au moins cent ans.

C'était une maison juive ?

Oui,
dans toutes ces maisons-là, c'étaient des Juifs.

*Toutes les maisons de la place
étaient des maisons juives ?*

Oui, toutes les maisons de devant, de face,
étaient habitées par des Juifs. Oui.

Et les Polonais habitaient où ?

Dans les cours, là où il y avait les W.-C.

Ah ! derrière, là où il y avait les W.-C...

Et ici, avant, il y avait un magasin, une boutique...

De quoi ?

... avec l'alimentation.

Tenue par des Juifs ?

Oui.

*Donc, si je comprends bien,
les Juifs habitaient sur la rue,
et les Polonais dans la cour, avec les W.-C. ?*

Oui.

*Et tous les deux, ils habitent ici depuis
quand ?*

Quinze ans, depuis quinze ans ils sont là.

Et avant, ils habitaient où ?

Justement, ils habitaient une cour
de l'autre côté de la place.

Ils sont devenus riches, depuis ?

Oui !

Et comment est-ce qu'ils sont devenus riches ?

Ils ont travaillé.

Monsieur a quel âge ?

Soixante-dix ans.

*Il a l'air jeune et frais.
Ils se souviennent des Juifs de Grabow ?*

Oui. Quand on les a déportés également.

*Ils se souviennent de la déportation
des Juifs de Grabow ?*

Monsieur dit qu'il parle bien juif.

Monsieur parle le juif?

Oui.
Quand il était petit,
il jouait avec des Juifs,
alors il parlait le juif!

... Alors, tout d'abord on groupait les Juifs là où il y a maintenant le restaurant,
ou bien sur cette place,
et on leur prenait de l'or.
Alors il y avait un Ancien parmi les Juifs qui réunissait cet or et puis cet Ancien donnait cet or aux gendarmes.
Quand les Juifs n'avaient plus d'or, on les a mis tous à l'église catholique.

Il y avait beaucoup d'or?

Oui, les Juifs avaient de l'or,
et ils avaient aussi de très beaux chandeliers.

Un homme.

Est-ce qu'eux, les Polonais, ils savaient que les Juifs allaient être tués à Chelmno?

Oui, on le savait.
Mais les Juifs eux-mêmes le savaient aussi.

Les Juifs le savaient aussi...
Et ils ont essayé de faire quelque chose contre ça, les Juifs, de se révolter, de s'échapper, de...?

Les jeunes essayaient de se sauver,
mais les Allemands les récupéraient
et on peut dire qu'on les tuait avec encore plus de sauvagerie.
Dans chaque village ou petite ville,
il y avait deux ou trois rues qui étaient fermées,

et les Juifs y étaient surveillés.
Ils ne pouvaient pas sortir de ce quartier.
Ensuite, on les a enfermés à l'église polonaise, ici,
à Grabow,
et on les a transportés à Chelmno.

Le couple.

Et ils prenaient des enfants aussi petits que ceux
qu'on voit là-bas. Ils les prenaient par les jambes.
et les jetaient sur des camions.

Madame a vu ça ?

Les vieillards aussi.

Ils jetaient les enfants sur les camions ?

Oui.

*Est-ce que les Polonais savaient que les Juifs
seraient gazés à Chelmno ?
Est-ce que Monsieur savait ?*

Oui.

Un autre homme.

*Est-ce qu'il se souvient de la déportation
des Juifs de Grabow ?*

Oui,
à cette époque-là, Monsieur travaillait au moulin.

Oui. En face ?

Oui, en face. Et ils ont tout vu.

*Et qu'est-ce qu'il a pensé de ça, Monsieur,
c'était un spectacle triste ?*

Oui, c'était très triste de le regarder.
On ne saurait pas le regarder d'un œil gai !

*Qu'est-ce qu'ils faisaient comme métier,
les Juifs ?*

Ils étaient tanneurs, commerçants, tailleurs.
Oui.

Ils faisaient aussi du commerce : ils vendaient des œufs, des poules, du beurre.

Le premier homme.

Il y avait pas mal de tailleurs,
de commerçants aussi.
Mais, d'habitude, ils étaient tanneurs.
Ils avaient des barbes et puis des... des machins,
des payès.
Ils n'étaient pas jolis, de toute façon.

Ils n'étaient pas jolis ?

Oui, en plus, ils puaient.

Ils puaient ?

Oui.

Pourquoi est-ce qu'ils puaient ?

Parce que c'étaient des tanneurs, et les peaux,
ça pue.

Un groupe de femmes.

Madame dit que les Juives étaient très belles.
Les Polonais aimaient beaucoup
faire l'amour avec les Juives.

Et les femmes polonaises sont contentes
qu'il n'y ait plus de femmes juives,
aujourd'hui ?

Elle dit que...
les femmes qui ont maintenant le même âge
qu'elle,
aimaient aussi faire l'amour, voilà.

Et les femmes juives, c'était une concurrence ?

Les Polonais aimaient les petites Juives,
c'est fou ce qu'ils les aimaient !

Et les Polonais regrettent les petites Juives ?
Bien sûr, des femmes si belles ! Bien sûr !
Pourquoi ? En quoi étaient-elles si belles ?
Alors,
elles étaient belles parce qu'elles ne faisaient rien.
Les Polonaises, elles, travaillaient.
Les Juives, elles ne faisaient rien, seulement elles pensaient à leur beauté, elles s'habillaient bien.
Ah ! les femmes juives,
elles ne travaillaient pas ?
Elles ne faisaient rien du tout.
Pourquoi ça ?
Elles étaient riches.
Elles étaient riches, et les Polonais devaient les servir et travailler.
J'ai entendu le mot « capital »...
Elles avaient... enfin, il y avait le capital qui était entre les mains des Juifs.
Ah ! oui, mais ça tu n'as pas traduit.
Repose-lui la question à Madame.
Le capital était donc entre les mains des Juifs ?
Toute la Pologne était dans les mains des Juifs.

Le premier homme.

Est-ce qu'ils sont contents qu'il n'y ait
plus de Juifs ici, ou tristes ?
Ça ne les dérangeait pas de toute façon,
mais, comme vous savez,
toute l'industrie en Pologne avant la guerre était entre les mains des Juifs
et des Allemands.
Mais trouvaient-ils les Juifs sympathiques,
dans l'ensemble ?
Pour les Polonais, euh... les Juifs n'étaient pas très sympathiques et surtout, ils étaient malhonnêtes.
Ils étaient malhonnêtes !

Est-ce que la vie était plus gaie à Grabow
quand il y avait des Juifs, que maintenant?
On ne peut pas en parler...
Il ne sait pas.
Pourquoi dit-il que les Juifs étaient
malhonnêtes?
Ils exploitaient les Polonais.
C'est de ça qu'ils vivaient surtout.
Comment est-ce qu'ils les exploitaient?
Ils imposaient leurs prix.

Une femme.

Demande-lui si elle aime sa maison?
Oui,
mais ses enfants habitent dans des maisons bien meilleures.
Dans des maisons modernes?
Ils ont tous fait leurs études supérieures.
Ah! bravo, c'est bien! C'est le progrès, ça!
Oui, ce sont ses enfants qui sont les plus instruits dans tout le village.
Bravo, madame, c'est très bien!
Vive l'instruction!
Mais dites-moi, cette maison est très
ancienne, non?
Oui, c'est une maison où avant habitaient
des Juifs.
Ah! des Juifs habitaient ici avant.
Elle les connaissait?
Oui.
Comment s'appelaient-ils?
Non.
Elle ne sait pas.
Que faisaient-ils comme métier?
Benkel, ils s'appelaient.

Et que faisaient-ils comme métier?
Ils avaient une boucherie.
Ils avaient une boucherie.
Pourquoi est-ce qu'elle rit, Madame?
Non, c'était un boucher.
Elle rit parce que Monsieur lui a dit que
c'était une boucherie où on pouvait acheter à des
prix très bas et de la viande de bœuf.
De bœuf...

Le premier homme.

Que pense-t-il du fait qu'on les a gazés dans des camions?
Il dit qu'il n'est pas du tout content de ça.
Si les Juifs étaient partis tout seuls en Israël,
de leur propre gré,
peut-être on aurait été content.
Mais puisqu'on les a tués, c'était très désagréable.

L'autre homme.

Est-ce qu'il regrette les Juifs?
Oui, il les regrette, parce qu'il y avait de très
belles Juives,
alors quand on était jeune, c'était bien.

Le groupe de femmes.

Est-ce qu'elles regrettent que les Juifs ne soient plus là, ou est-ce qu'elles trouvent que c'est plutôt mieux?
Qu'est-ce que je peux en savoir?
Je suis quelqu'un qui n'a pas fait d'études,
alors je regarde seulement comment je suis

maintenant.
Maintenant, je suis très bien.

Est-ce qu'elle se trouve mieux ?

Avant la guerre, elle devait arracher les pommes de terre
tandis que maintenant elle a un commerce d'œufs,
alors elle va beaucoup mieux...

Mais ça, est-ce que c'est à cause du départ des Juifs ou est-ce que c'est à cause du socialisme ?

Ça ne l'intéresse pas,
elle est contente parce qu'elle est bien maintenant.

Le couple.

Quel effet ça lui a fait, à Monsieur,
de perdre ainsi ses camarades de classe ?

Même maintenant ça lui fait de la peine.
Ah ! oui.

Ils regrettent les Juifs ?

Bien sûr !
C'étaient de bons Juifs, dit Madame.

Mme Michelsohn.

Ils arrivaient en camions, les Juifs.
Et plus tard par le chemin de fer
à voie étroite.
Pêle-mêle, entassés dans les camions,
ou dans les wagons
du petit train.
Plein de femmes et d'enfants,
des hommes aussi, mais âgés pour la plupart.

Les plus forts étaient sélectionnés pour le travail.
Ils marchaient avec des chaînes aux pieds,
le matin ils allaient puiser l'eau,
et chercher à manger, etc.
Ceux-là, on ne les tuait pas d'emblée.
Ça se faisait plus tard.
Je ne sais ce qu'ils sont devenus.
En tout cas, ils n'ont pas survécu.

Seulement deux...

Seulement deux.

Ils étaient enchaînés ?

Aux pieds.

Tous ?

Ceux-là, oui. Les autres
étaient tués aussitôt.

Et ces Juifs passaient enchaînés dans le village ?

Oui.

Etait-il possible de leur parler, ou non ?

Non, non. C'était impossible.

Pourquoi ?

Personne n'osait.

Comment ?

Personne n'osait.

Oui.

Vous avez compris ?

Oui. Personne n'osait.
Pourquoi, c'était dangereux ?

Oui. Il y avait des gardes.
Et de toute façon,
on préférait n'avoir rien à faire avec ça,
n'est-ce pas ?
Ça tape sur les nerfs de voir ça tous les jours.
C'est trop de forcer tout un village à assister à
cette misère.
Quand les Juifs arrivent,
quand on les pousse dans l'église ou le château...
Et ces cris, c'est affreux !

Déprimant !
Et jour après jour, le même théâtre...
Terrible, c'était terrible. Triste à voir.
Ils criaient. Ils se rendaient bien compte.
Ils croyaient d'abord, les Juifs, qu'on allait les
épouiller.
Mais bientôt ils comprenaient,
les cris devenaient de plus en plus fous.
Des cris terrifiants. Cris d'angoisse !
Car ils réalisaient ce qui leur arrivait.
Savez-vous combien de Juifs ont été exterminés là-bas ?
Oh ! quelque chose avec quatre. Quatre cent mille,
quarante mille...
Quatre cent mille.
C'est quatre cent mille... Oui, j'étais sûre
du quatre.
Triste, triste, triste.

Simon Srebnik, le survivant de la deuxième période de l'extermination à Chelmno (la « période de l'Eglise »).

Quand les soldats défilent,
les jeunes filles ouvrent
leurs portes et leurs fenêtres.

Mme Michelsohn

Vous souvenez-vous d'un enfant juif, il avait treize ans.
C'était un « Juif du travail ».
Il chantait sur la rivière...
Sur la Ner ?
Oui.
Il vit encore ?
Oui, il est vivant.

Il chantait une chanson allemande
que les SS à Kulmhof, à Chelmno
lui avaient apprise :
Quand les soldats défilent...

Mme Michelsohn.

... les jeunes filles ouvrent
leurs portes et leurs fenêtres...

Simon Srebnik.

Quand les soldats défilent,
les jeunes filles ouvrent...
leurs portes et leurs fenêtres.

Groupe de villageois devant l'église de Chelmno entourant Simon Srebnik.

Alors, c'est la fête à Chelmno?
Oui.
Quelle fête?
La naissance de la Madone.
C'est son anniversaire.
Ah! c'est l'anniversaire de la Madone!
Oui, oui.
Mais il y a énormément de monde, non?
Moins que d'habitude.
Parce que le temps n'est pas beau, il pleut...
Sont-ils contents de retrouver Srebnik?
Très. Ça leur fait un très grand plaisir.
Pourquoi?
Oui, ça leur fait plaisir,
parce qu'ils l'ont revu
et parce qu'ils savent tout ce qu'il a vécu.
Maintenant, quand ils le voient

comme il est maintenant,
ils sont très, très contents.

Pourquoi tout le village se souvient-il de lui ?

Alors
ils se rappellent bien,
parce qu'il marchait avec des chaînes aux chevilles
et qu'il chantait sur la rivière.
Il était tout jeune,
il était tout maigre,
on avait l'impression qu'il était prêt pour le cercueil.
Il était tellement maigre qu'il était mûr pour le cercueil.

Et il avait l'air gai ou triste ?

Même
Madame, quand elle a vu cet enfant,
a dit à l'Allemand : « Ecoutez, laissez cet enfant partir ! »
Alors il lui a demandé : « Mais où ?
— Mais chez son père et chez sa mère ! »
Alors l'Allemand a regardé le ciel et lui a dit :
« Oui, bientôt, il ira là-haut, chez son père et sa mère ! »

L'Allemand a dit cela !

Oui.

Se souviennent-ils du temps où les Juifs étaient enfermés dans cette église ?

Oui, ils s'en souviennent.
On les a emmenés en camion, ici, à l'église.

A quelle heure les a-t-on emmenés en camion ?

Toute la journée, et même la nuit.

Alors, comment ça se passait ?
Est-ce qu'ils peuvent décrire en détail ?

Au début on amenait les Juifs au château ;
seulement après on les mettait à l'église.

Oui, dans la deuxième période.

Et le matin, on les transportait à la forêt.

Et comment étaient-ils transportés à la forêt ?
Dans des camions blindés très grands.
Et par le bas venait le gaz.
Alors,
on les transportait dans les camions à gaz...
C'est bien ça ?
Oui, dans des camions à gaz.
Et les camions venaient les chercher où ?
Les Juifs ?
Oui.
Ici à la porte de l'église.
Ici, où ils sont maintenant ?
Non, les camions arrivaient jusqu'à l'entrée
même.
Les camions arrivaient jusqu'à la porte
de l'église !
Et tous savaient
que c'étaient des camions de mort,
que c'étaient des camions où on gazait les Juifs ?
Oui, on ne pouvait pas ne pas le savoir !
Est-ce qu'on entendait des cris, la nuit ?
Ils gémissaient même, ils avaient faim.
Ils gémissaient, ils avaient faim !
Tout était enfermé, ils avaient très faim.
Est-ce qu'ils avaient à manger ?
On ne pouvait pas regarder de ce côté-là.
On ne pouvait pas parler à un Juif.
On ne pouvait pas !
Non,
même si on passait par la route ici,
on ne pouvait pas jeter un regard de ce côté-là.
Est-ce qu'ils regardaient quand même ?
Oui, il y avait des camions qui venaient ici
et on transportait ensuite les Juifs plus loin.
On pouvait le voir, mais discrètement !
Ah ! discrètement !
C'est ça.

Obliquement ?
Oui, absolument. On jetait un coup d'œil oblique.
Et quels genres de cris entendait-on,
quels gémissements, la nuit ?
Les Juifs appelaient Jésus, Marie et le Bon Dieu,
parfois en allemand, comme dit Madame.
Les Juifs appelaient Jésus,
Marie et le Bon Dieu !
Et là, à la cure,
il y avait un dépôt où il y avait plein de valises.
Ah ! c'étaient
les valises des Juifs ?
Oui, il y avait de l'or.
Il y avait de l'or.
Et comment est-ce qu'elle sait,
Madame, qu'il y avait de l'or ?
Demande-lui... Ah ! c'est la procession ! Alors on va arrêter.

Y avait-il autant de Juifs dans l'église
qu'il y a eu de chrétiens aujourd'hui ?
Presque.
Et il fallait combien de camions à gaz
pour vider tout ça ?
Cinquante en moyenne.
Il fallait cinquante camions pour vider tout ça !
C'était un trafic incessant ?
Oui.
Madame disait tout à l'heure que dans la maison d'en face, on entreposait les valises des Juifs.
Qu'est-ce qu'il y avait dans ces bagages ?
Il y avait des casseroles à double fond.
Qu'est-ce qu'il y avait dans les casseroles
à double fond ?
Dans le double fond des casseroles ?
Il y avait des objets précieux, des objets de
valeur.

Oui, il y avait aussi de l'or dans les...
dans les vêtements.
Quand on leur donnait à manger, les Juifs nous
jetaient parfois des objets précieux,
parfois de l'argent.

Mais ils ont dit tout à l'heure
qu'ils ne pouvaient pas parler aux Juifs,
que c'était interdit.

C'est absolument interdit.

Est-ce qu'ils regrettent les Juifs ?

Bien sûr.
Nous avons pleuré tout comme eux, dit Madame.
Et Monsieur Kantarowski leur donnait
de la nourriture, du pain et des concombres.

A leur avis, pourquoi toute cette histoire
est arrivée aux Juifs ?

Parce qu'ils étaient les plus riches !

Il y a eu pas mal de Polonais qui ont été
exterminés,
c'est vrai ! Des prêtres.

Monsieur Kantarowski va raconter
ce qu'un de ses amis lui a dit.
Ça s'est passé à Mindjewyce, près de Varsovie.
Les Juifs de Mindjewyce ont été groupés sur une
place et le rabbin voulait leur parler.
Il a demandé à un SS : « Est-ce que je peux leur
parler ? » Et l'autre lui a répondu : « Oui. »
Alors le rabbin a dit qu'il y a très, très longtemps
de ça, à peu près deux mille ans,
les Juifs ont condamné à mort Christ
qui était tout à fait innocent.
Alors quand ils l'ont fait,
quand ils l'ont condamné à mort,
ils ont crié :
« Que son sang tombe sur nos têtes

et sur celles de nos fils ! »
Alors le rabbin leur a dit : « Peut-être ce moment est arrivé, que ce
sang doit tomber sur nos têtes. Alors ne faisons rien, allons-y,
faisons ce qu'on nous demande, on y va ! »

Donc il pense que les Juifs ont expié pour la mort du Christ ?

Il...
Il ne croit pas, et même il ne pense pas que Christ veuille se venger.
Non, lui n'est pas de cet avis.
C'est le rabbin qui l'a dit !

Ah ! c'est le rabbin qui l'a dit !

C'était la volonté de Dieu, c'est tout.

Oui, oui... qu'est-ce qu'elle dit ?

Alors Ponce Pilate a lavé ses mains, il a dit :
« Cet homme est innocent,
je ne veux pas avoir à faire avec cette histoire-là »,
et il a envoyé Barrabas.
Mais les Juifs ont crié :
« Que son sang tombe sur nos têtes ! »

C'est la fin, vous savez tout !

Pan Fallorski.

Est-ce que la route entre Chelmno, le village, et la forêt, le lieu des fosses, était asphaltée, comme aujourd'hui ?

Cette route était plus étroite qu'elle est maintenant
mais elle était aussi asphaltée.

Les fosses étaient à combien de mètres de la route ?

A peu près cinq cents, peut-être six cents ou sept

cents mètres de la route,
aussi quand on regardait de la route dans cette direction, on ne les voyait pas.

A quelle vitesse roulaient les camions ?

Ces camions avaient une vitesse moyenne,
plutôt lente.
C'était une vitesse calculée,
parce qu'il fallait tuer pendant le trajet
les gens qui étaient à l'intérieur.
Quand les camions roulaient trop vite, les gens n'étaient pas encore tout à fait morts
quand ils arrivaient à la forêt.
Quand ils circulaient plus lentement,
ils avaient le temps
de tuer les gens qui étaient à l'intérieur.

Une fois, un camion a dérapé.
C'était au virage.

Je suis arrivé une demi-heure après
chez un garde forestier qui s'appelait Sendjak.
Il m'a dit :
« C'est bien dommage que tu sois venu en retard.
Tu aurais pu voir un camion qui a dérapé.
L'arrière de ce camion s'est ouvert,
et les Juifs sont tombés sur la route.
Ils vivaient encore.

Alors, un homme de la Gestapo, en voyant ces Juifs qui rampaient,
il a pris son revolver et il leur a tiré dessus.
Il les a tous achevés.
Ensuite, ils ont fait venir les Juifs
qui travaillaient dans la forêt,
et on a soulevé le camion et remis dans le même camion les corps. »

C'était le chemin
que les camions à gaz empruntaient.

Dans chaque camion à gaz il y avait quatre-vingts personnes
Quand ils arrivaient, les SS disaient :
« Ouvrez les portes ! »
Nous le faisions. Et aussitôt les corps dégringolaient.
Un SS disait : « Deux hommes dedans ! » Ils étaient deux,
qui travaillaient aux fours, ils avaient l'habitude.
Un autre SS hurlait :
« Jetez plus vite. Plus vite ! L'autre camion arrive ! »
Et on travaillait jusqu'à ce que le transport entier soit brûlé.
Et c'était ainsi tout le long du jour... c'était ainsi.

Je me souviens d'une fois, ils vivaient encore,
les fours étaient déjà pleins,
et ils sont restés sur le sol.
Ils remuaient tous, ils revenaient
à eux, ces vivants...
Et quand ils les ont jetés ici dans les fours,
tous étaient ranimés :
ils ont été brûlés vifs.

Quand nous avons construit les fours, je me demandais pourquoi.
Un des SS m'a répondu :
« On va faire du charbon de bois ! Pour les fers à repasser. »

Il m'a dit ça. Je ne savais pas.
Quand les fours ont été terminés,
les bûches disposées,
l'essence versée et enflammée
et quand le premier camion à gaz est arrivé,
alors nous avons su pourquoi les fours avaient été creusés.

Quand j'ai vu tout ça, ça ne m'a rien fait.
Et le deuxième, le troisième transport,
ça ne m'a rien fait non plus.
Je n'avais que treize ans,
et tout ce que j'avais vu jusque-là,
c'étaient des morts, des cadavres. Peut-être n'ai-je pas compris.
Si j'avais été plus vieux, peut-être...
Je n'ai sans doute pas compris.
Je n'avais jamais rien vu d'autre.
Au ghetto, je voyais... à Lodz, au ghetto,
dès que quelqu'un faisait un pas, il tombait, mort, mort.
Je pensais : il doit en être ainsi,
c'est normal, c'est ainsi. J'allais dans les rues de Lodz,
je faisais, disons cent mètres, il y avait deux cents morts...

Les gens avaient faim.
Ils allaient et ils tombaient, ils tombaient...
Le fils prenait le pain du père,
le père le pain du fils,
chacun voulait rester en vie.
Alors, quand je suis arrivé ici, à Chelmno,
j'étais déjà...
tout ça m'était égal...

Je pensais aussi : si je survis,
je ne désire qu'une chose :
qu'on me donne cinq pains. Pour manger...
Rien d'autre.

Je pensais ainsi. Mais je rêvais aussi :
si je survis, je serai le seul au monde.
Plus un être humain, moi seul. Un.

Il ne restera que moi au monde, si je sors d'ici.

Geheime Reichssache, Affaire secrète du Reich.

Berlin, le 5 juin 1942.
Changements à apporter aux véhicules spéciaux actuellement en service à Kulmhof, Chelmno, et à ceux qui sont en construction.

Depuis le mois de décembre 1941,
Quatre-vingt-dix-sept mille ont été traités (verarbeitet)
par les trois voitures en service sans incidents majeurs.
Cependant, compte tenu des observations faites jusqu'alors,
les changements techniques suivants s'imposent :

1. Le chargement normal des camions
est généralement de neuf à dix par mètre carré.
Dans les voitures Saurer, qui sont très volumineuses,
l'utilisation maximale de l'espace
n'est pas possible.

Non pas à cause d'une surcharge éventuelle,
mais parce que le chargement à la capacité maximale
aurait des répercussions sur la tenue
de route du véhicule.
Une diminution de l'espace de chargement paraît donc nécessaire.
Il faudrait absolument réduire cet espace d'un mètre,
au lieu de chercher à résoudre le problème,
comme on l'a fait jusqu'à présent,
en diminuant le nombre des pièces à charger.
Ce dernier procédé a le désavantage d'entraîner
un temps de fonctionnement plus long,
car l'espace vide doit également être rempli
d'oxyde de carbone.
En revanche, si l'on diminue l'espace de chargement,
tout en chargeant à bloc le véhicule,
le temps de fonctionnement peut être
considérablement abrégé.
Les constructeurs de l'engin nous ont dit lors d'une conversation
que la réduction de la partie arrière du camion
entraînerait un déséquilibre fâcheux.
Le train avant, prétendent-ils, serait en effet surchargé.
Mais en réalité l'équilibre se rétablit involontairement
par le fait que la marchandise chargée montre,
pendant le fonctionnement,
une tendance naturelle à se bousculer vers les portes arrière
et se trouve à la fin de l'opération couchée
surtout à cet endroit.
Ainsi aucune surcharge du train avant ne se produit.

2. Il faut protéger l'éclairage contre la destruction
plus qu'on ne l'a fait jusqu'à présent.
Des grillages en fer doivent entourer les lampes
afin d'éviter qu'elles ne soient endommagées.
La pratique a démontré qu'on pouvait se passer de lampes,
étant donné que celles-ci ne sont apparemment jamais utilisées.
Cependant, on a pu observer
qu'au moment de la fermeture des portes,
le chargement se presse toujours fortement vers celles-ci
dès que l'obscurité survient.
Ceci résulte du fait que le chargement se précipite naturellement
vers la lumière lorsque l'obscurité se fait,
ce qui rend la fermeture des portes difficile.
En outre, on a pu observer qu'à cause du caractère inquiétant de l'obscurité
les cris éclatent toujours au moment de la fermeture des portes.
Il serait donc opportun d'allumer l'éclairage
avant et pendant les premières minutes du fonctionnement.

3. Pour un nettoyage facile du véhicule,
il faut disposer au milieu du plancher un trou de vidange bien étanche.
Le couvercle du trou, d'un diamètre de 200 à 300 mm,
sera pourvu d'un siphon couché,
de façon à ce que les liquides fluides
puissent déjà s'écouler pendant le fonctionnement.
Au moment du nettoyage,

le trou de vidange servira
à l'écoulement des grosses saletés.
Les changements techniques mentionnés ci-dessus
doivent être apportés aux véhicules en service
uniquement au moment où ceux-ci auront besoin d'être réparés.
Quant aux dix véhicules neufs commandés chez Saurer,
ils devront dans toute la mesure du possible
être aménagés avec toutes les innovations et changements
déduits de la pratique et de l'expérience.

Soumis à la décision du Gruppenleiter II D,
SS-Obersturmbannführer Walter Rauff.

Signé Just.

DEUXIÈME FILM

Franz Suchomel, SS Untesturmführer.

Regard sur le monde, droit et loin,
toujours braves et joyeux,
les commandos marchent au travail.
Pour nous il n'y a plus aujourd'hui que Treblinka,
qui est notre destin.
Nous avons assimilé Treblinka
en un clin d'œil.
Nous ne connaissons que la parole
du commandant,
et seulement l'obéissance et le devoir,
nous voulons servir, servir encore,
jusqu'à ce que le petit bonheur, un jour,
nous fasse signe. Hourra !

Recommencez, mais plus fort !

Oui. Nous rions et pourtant c'est si triste !

Personne ne rit !

Ne m'en voulez pas,
vous voulez de l'Histoire, je vous dis de l'Histoire.
C'est Franz qui a écrit les paroles.
La mélodie provient de Buchenwald,
du camp de concentration où Franz était garde.
Quand de nouveaux Juifs arrivaient le matin

« Juifs du travail »...
Oui. Ils devaient aussitôt apprendre ça,
et, le soir même, le chanter.
Bon, mais recommencez.
D'accord.
C'est capital. Mais fort !
Oui...

Le pas ferme, regard sur le monde,
droit et loin,
les commandos marchent au travail.
Pour nous il n'y a plus aujourd'hui que Treblinka,
qui est notre destin.
Nous avons assimilé Treblinka
en un clin d'œil.
Nous ne connaissons que la parole
du commandant,
et seulement l'obéissance et le devoir,
nous voulons servir, servir encore,
jusqu'à ce que le petit bonheur, un jour,
nous fasse signe. Hourra !

Vous êtes content ?
C'est un « original ». Plus un Juif ne connaît ça !

Comment était-il possible, à Treblinka,
aux jours de pointe,
de « traiter » dix-huit mille personnes ?...
Dix-huit, c'est trop...
Ah ! J'ai lu cela dans les actes...
Oui, oui.
« Traiter » dix-huit mille personnes...
Liquider dix-huit mille personnes...
Monsieur Lanzmann, c'est exagéré,
vous pouvez me croire.
Combien ?
De douze à quinze mille,

mais alors on y passait la moitié de la nuit.
En janvier, les transports arrivaient à six heures du matin.

Toujours à six heures du matin ?

Pas toujours. Souvent.

Oui.

Ils n'arrivaient pas à heure fixe.

Oui.

Il en arrivait parfois un à six heures du matin,
puis un autre à midi,
ou encore un tard le soir. Vous voyez ?

Bon. Un transport arrive :
j'aimerais que vous décriviez très précisément
tout le processus en haute période...

Les transports quittaient la gare de Malkinia
pour la gare de Treblinka.

Combien de kilomètres entre Malkinia et Treblinka ?

Dix kilomètres à peu près.

Treblinka était un village.
Un petit village.
La gare avait gagné en importance,
à cause des transports de Juifs.

Chaque convoi avait de trente à cinquante wagons.
On les divisait toujours en tronçons de dix, douze, et même quinze wagons, qui étaient conduits au camp et amenés à la rampe.
Les autres wagons demeuraient en attente, avec les gens, à la gare de Treblinka.
Les lucarnes étaient barbelées,
pour que personne ne puisse sortir.
Et sur les toits se trouvaient les « chiens à sang »,
les Ukrainiens ou les Lettons.
Les Lettons étaient les pires.

Sur la rampe, face à chaque wagon,
deux Juifs du commando bleu se tenaient prêts
afin que tout aille vite.
Ils disaient : « Sortez, sortez, vite, vite, vite ! »

Il y avait aussi des Ukrainiens et des Allemands.

Combien d'Allemands ?

De trois à cinq.

Pas plus ?

Non. Je vous le garantis.

Et combien d'Ukrainiens ?

Dix.

Dix Ukrainiens, cinq Allemands...

Oui, oui.

Deux... C'est-à-dire vingt hommes
du commando bleu...

Oui. Ceux du commando bleu étaient ici...
et ici, ils envoyaient les gens à l'intérieur.
Là était le commando rouge.
Oui.

Le commando rouge, quel était son travail ?

Les vêtements ! Il devait ramasser
les vêtements des hommes,
les vêtements des femmes,
et immédiatement les monter ici.

Combien de temps entre la rampe
et l'opération de déshabillage,
combien de minutes ?

Voyons... pour les femmes,
pour les femmes, disons une heure en tout.
Une heure, une heure et demie.
Tout un train en deux heures.

Oui.

En deux heures tout était fini...

Entre l'arrivée...

... et la mort.

... et la mort, tout était fini en deux heures?
Deux heures, deux heures et demie, trois heures.
Tout un train?
Tout un train.
Et pour une partie seulement,
pour dix wagons?
On ne peut pas
l'évaluer : les tronçons se succédaient,
les gens affluaient sans cesse, vous comprenez?

Les hommes qui attendaient assis là, là,
on les expédiait aussitôt là-haut par le « boyau ».
Les femmes, elles y allaient en dernier...
A la fin.
Elles devaient y monter aussi, et elles attendaient
souvent ici.
Toujours par cinq, n'est-ce pas, cinq.
Cinquante personnes, soixante femmes avec les
enfants qui devaient attendre,
jusqu'à ce qu'il y ait de la place ici.
Nus?
Nus! Eté comme hiver.
En hiver il peut faire très froid à Treblinka.
Voilà, en hiver, en décembre,
en tout cas après Noël...
Oui.
Mais déjà avant Noël, il faisait... un froid de loup!
On avait bien entre – 10 et – 20°.
Je le sais, car au début, on crevait de froid nous
aussi.
Nous n'avions pas d'uniformes adéquats.
Pour nous aussi il faisait froid.
Mais plus encore...
... pour les malheureux...
... dans le « boyau »...
... dans le « boyau », il faisait très, très froid.
Très froid.

Oui.
Et pouvez-vous
décrire très exactement ce « boyau ».
Comment était-ce ? Combien de mètres ?
Les gens dans ce « boyau » ?
Le « boyau » avait environ quatre mètres de large.
Comme cette pièce.
Il était ceint de palissades hautes comme ça,
ou disons comme ça.
Des murs ?
Non, non. Des barbelés,
avec un entrelacs très serré de branches d'arbres,
des branches de pin,
comprenez-vous ?
C'est ce qu'on appelait le « camouflage ».
Il y avait un *commando camouflage* de vingt Juifs
qui chaque jour allait chercher des branches.
Dans les bois ?
Oui, dans les bois.
Et tout était couvert. Tout, tout.
Ils ne voyaient pas au-dehors, ni à droite ni à gauche.
Absolument rien.
On ne pouvait pas voir au travers.

Impossible ?
Impossible.
Même chose ici, ici, ici et ici...
et ici...
impossible de voir à travers.

Treblinka où tant de gens ont été exterminés,
ça n'était pas grand, n'est-ce pas ?
Ce n'était pas grand.
Cinq cents mètres dans sa plus grande extension.
Ce n'était pas un rectangle, plutôt un losange.
Représentez-vous : ici c'était plat

et là on commençait à monter.
Et au sommet de la colline se trouvait la chambre à gaz.

Il fallait monter.

Le « boyau » était appelé
le « Chemin du Ciel », non ?

Les Juifs l'avaient surnommé l'« Ascension »,
et aussi le « Dernier Chemin ».
Je n'ai entendu que ces deux expressions.

J'ai besoin d'imaginer.
Ils pénètrent dans le « boyau »...
Et qu'arrive-t-il ? Complètement nus ?

Complètement nus.
Ici étaient postés deux gardes ukrainiens.

Oui.

Surtout pour les hommes, vous voyez ?
Les hommes, quand ils renâclaient,
ils étaient battus,
à coups de fouet. Au fouet. Et ici aussi. Et déjà ici.

Ah ! oui.

On « forçait » les hommes. Pas les femmes.

Pas les femmes ?

Non, on ne les battait pas.

Pourquoi tant d'humanité ?

Moi, je ne l'ai pas vu.

Oui.

Je ne l'ai pas vu. Peut-être les battait-on aussi.

Pourquoi pas ?

Pourquoi pas ?

De toute façon c'était la mort.
Pourquoi pas ?

A l'entrée des chambres à gaz, oui, c'est sûr.

Abraham, dites-moi, comment est-ce arrivé ?
Comment vous ont-ils choisi ?

Il y a eu un ordre
des Allemands
de sélectionner les coiffeurs,
pour un certain travail.
Quel travail, nous l'ignorions alors,
mais nous rassemblâmes tous les coiffeurs.

Depuis quand étiez-vous à Treblinka ?

Depuis quatre semaines environ.

Etait-ce un matin ?

Oui, un matin vers dix heures,
à l'arrivée d'un transport, quand les femmes
furent conduites à la chambre à gaz.
Ils regroupèrent un certain nombre
de « Juifs du travail »
et demandèrent aux coiffeurs de se déclarer.
J'étais coiffeur depuis déjà pas mal d'années.
Ceux qui venaient de ma ville, Czestochowa,
et de ses environs, le savaient.
Ainsi ai-je été choisi
et à mon tour, j'ai désigné d'autres coiffeurs
que je connaissais.

Professionnels ?

Oui... Et nous avons attendu...
Nous reçûmes l'ordre d'aller avec eux,
avec les Allemands.
Ils nous escortèrent jusqu'à la chambre à gaz,
située dans la deuxième partie du camp.

C'était loin ?

Non, pas très loin,
mais tout était camouflé : des palissades,
des barbelés recouverts de branchages
afin que personne ne puisse voir, imaginer
que ce chemin conduisait aux chambres à gaz.

C'est ce que les SS appelaient le « boyau » ?
Non, ils disaient, voyons...
« Le Chemin du Ciel ».
Himmelweg ?
Oui, *Himmelweg* : Le Chemin du Ciel.
Nous le savions déjà avant même
d'aller travailler dans la chambre à gaz.
A notre arrivée, ils placèrent des bancs pour que
les femmes puissent s'y asseoir.
Et pour qu'elles ne soupçonnent pas
que c'est leur dernière étape, leur dernier instant,
leur dernier souffle. Afin qu'elles ne pressentent
rien.
Pendant combien de jours avez-vous travaillé
à l'intérieur même de la chambre à gaz ?
Nous y avons travaillé durant une semaine ou dix
jours.
Après, ils décidèrent que nous couperions
les cheveux dans la baraque de déshabillage.
Et la chambre à gaz ?
Ce n'était pas grand, c'était une pièce
de quatre mètres sur quatre environ.
Pourtant, dans cette pièce,
ils entassaient tellement de femmes.
Elles étaient les unes sur les autres...
Mais comme je l'ai déjà dit,
nous ignorions quel serait notre travail.
Soudain, un kapo survint :
« Coiffeurs, vous devez faire en sorte
que toutes ces femmes qui entrent ici croient
qu'elles vont simplement avoir
une coupe de cheveux,
prendre une douche,
et qu'ensuite, elles sortiront. »
Mais nous savions déjà qu'on ne sortait pas de cet
endroit, que c'était le dernier,
qu'elles n'en repartiraient pas vivantes.

Pouvez-vous décrire précisément ?
Décrire précisément...
Nous attendions...
Soudain le transport...
Des femmes avec les enfants,
un déferlement...
Nous, les coiffeurs, commencions à couper les cheveux et certaines, je devrais dire presque toutes, savent déjà ce qui va leur arriver. Nous tentions de faire au mieux...

Non, non...

... être aussi humains que possible.

Pardon ! Quand elles pénétraient dans la chambre à gaz, étiez-vous déjà là ou n'entriez-vous qu'après elles ?

Je vous l'ai dit : nous y étions déjà,
nous les attendions.

Dedans ?

Oui, dans la chambre à gaz.

Et soudain, elles arrivaient ?

Oui, elles entraient.

Comment étaient-elles ?

Elles étaient dévêtues, toutes nues, sans habits, sans rien.

Complètement nues ?

Complètement nues.
Toutes les femmes et tous les enfants.

Les enfants aussi ?

Les enfants aussi, car ils sortaient des baraques de déshabillage, ils devaient s'y dévêtir avant d'aller à la chambre à gaz.

Qu'avez-vous éprouvé la première fois que vous les avez vues entrer nues ?

J'obéissais aux ordres :
couper les cheveux,
comme l'aurait fait un coiffeur
qui fait une coupe normale,

mais qui doit en même temps en ôter
le maximum.
Car ils avaient besoin des cheveux des femmes
qu'ils expédiaient en Allemagne.

Vous ne les tondiez pas ?

Non, nous coupions simplement :
il fallait qu'elles croient
à une coupe normale.

Aviez-vous des ciseaux ?

Oui, des ciseaux et un peigne, pas de tondeuse.
On procédait comme pour une coupe masculine.
Ne pas les tondre à zéro,
mais leur laisser l'illusion
d'une coupe normale.

Il y avait des miroirs ?

Non, pas de miroirs, des bancs, pas de chaises,
seulement des bancs et seize ou dix-sept
coiffeurs...
Mais elles étaient si nombreuses !
Chaque coupe prenait environ deux minutes,
pas plus,
il y en avait tant qui attendaient leur tour.

Pouvez-vous imiter ? Comment faisiez-vous ?

Eh bien !... Nous faisions aussi vite que possible
car nous étions tous des professionnels.
Comment faisions-nous...
On coupait comme ça, ici... là... et là...
ce côté... ce côté... et c'était fini.

A grands gestes ?

A grands gestes, évidemment,
car il n'y avait pas une seconde à perdre,
l'autre groupe attendait déjà dehors
de passer par le même processus.

Vous étiez donc seize coiffeurs ?

Oui.

Combien de femmes traitiez-vous
en une fournée ?

En une fournée... à peu près...

soixante à soixante-dix femmes.

Et ensuite, on fermait les portes ?

Non. Quand on en avait fini avec le premier groupe,
le suivant entrait : il y avait alors cent quarante
ou cent cinquante femmes.
Et ils s'en occupaient aussitôt.
Ils nous ordonnaient de quitter la chambre à gaz
pour quelques minutes, cinq minutes environ :
ils envoyaient alors le gaz et les asphyxiaient à mort.

Où attendiez-vous ?

En dehors de la chambre à gaz.
Et de l'autre côté... bon, elles entraient de ce côté-ci...
de l'autre côté, il y avait un commando
qui sortait déjà les cadavres :
toutes n'étaient pas encore mortes.
Et en deux minutes, même pas deux minutes,
en une minute... tout était nettoyé, tout était propre :
l'autre groupe pouvait entrer
et subir le même sort.

Ces femmes avaient-elles de longs cheveux ?

Longs ou courts, peu importe,
nous devions faire le travail.
Les Allemands voulaient les cheveux,
ils avaient leurs raisons.

Mais je vous ai demandé :
« Qu'avez-vous éprouvé la première fois
que vous avez vu ces femmes nues
avec les enfants, qu'avez-vous ressenti ? »,
vous n'avez pas répondu.

Vous savez, « ressentir » là-bas...
C'était très dur de ressentir quoi que ce soit :
imaginez, travailler jour et nuit parmi les morts,
les cadavres, vos sentiments disparaissaient,
vous étiez mort au sentiment, mort à tout.

Je vais vous raconter quelque chose :
pendant la période où j'ai été coiffeur à la chambre à gaz,
des femmes sont arrivées avec un transport provenant de ma ville, Czestochowa.
J'en connaissais un grand nombre.

Vous les connaissiez ?

Oui, je les connaissais, j'habitais la même ville.
J'habitais la même rue.
Quelques-unes étaient des amies proches.
Et dès qu'elles me virent, toutes s'agrippèrent à moi.
« Abe, que fais-tu ici ? Que va-t-on nous faire ? »
Que pouviez-vous leur dire ?
Que pouviez-vous dire ?
Un de mes amis, il était là avec moi,
lui aussi était un bon coiffeur dans ma ville.
Lorsque sa femme et sa sœur sont
entrées dans la chambre à gaz...

Continuez, Abe. Vous le devez.
Il le faut.

Trop affreux...

Je vous en prie,
nous devons le faire. Vous le savez.

Je ne pourrai pas.

Il le faut. Je sais que c'est très dur,
je le sais, pardonnez-moi.

Ne prolongez pas cela...

Je vous en prie. Continuez.

Je vous l'ai dit : ce sera très dur.
Ils mettaient ça dans des sacs
et c'était expédié en Allemagne.

Bon. Continuez.

Oui. Qu'a-t-il répondu
quand sa femme et sa sœur sont entrées ?

Il tentait de leur parler, mais à l'une
comme à l'autre,
il était impossible de dire que c'est le dernier
instant de leur vie,
car derrière eux se tenaient les nazis,
les SS,
et il savait que s'il disait un mot,
il partagerait le sort de ces deux femmes
qui sont déjà comme mortes.
Mais pourtant, il faisait pour elles le maximum,
rester avec elles, une seconde, une minute de
plus,
les étreignant, les embrassant.
Car il savait qu'il ne les reverrait jamais.

Franz Suchomel.

Dans le boyau, les femmes devaient attendre.
Elles entendaient les moteurs des chambres à
gaz.
Et peut-être aussi les cris et les supplications.

Alors survenait l'*angoisse de mort.*
Et en proie à l'*angoisse de mort,* l'être humain se
relâche,
il se vide, soit par-devant, soit par-derrière...
Et c'est pourquoi, là où les femmes
avaient attendu, on trouvait souvent cinq ou six
alignements d'excréments.

Debout...

Non, non, elles pouvaient s'accroupir,
ou même debout...
En fait, je ne les ai pas vu « faire »,
je n'ai vu que les excréments.

Seulement les femmes ?

Oui. Pas les hommes.
Les hommes dévalaient le boyau. A la course.
Les femmes y stationnaient
jusqu'à ce qu'une chambre à gaz soit libre.

Et les hommes ?

Non. Eux étaient « forcés » en premier, au fouet.

Ah ! oui.

Vous voyez ?

Toujours en premier ?

Les hommes passaient toujours les premiers.

Sans aucune attente ?

On ne leur laissait pas le temps d'attendre. Non, non ! Non.

*Et l'*angoisse de mort...

Avec l'*angoisse de mort,*
on se vide.
C'est bien connu... quand l'être humain sait qu'il va mourir, ça peut aussi bien lui arriver au lit.
Ma mère était à genoux devant son lit...

Votre mère ?

Ma mère... Et il y avait un gros tas...
C'est comme ça. C'est médicalement établi, n'est-ce pas ?

Puisque vous voulez tout savoir :
dès qu'on les déchargeait, mais c'était déjà le cas quand on les chargeait, à Varsovie ou ailleurs,
les gens étaient rossés.
Durement rossés, plus durement qu'à Treblinka, je vous le garantis.
Ensuite il y avait le transport, debout dans le wagon,
aucune hygiène, rien, de l'eau à peine,
l'angoisse.
Puis c'était l'ouverture des portes

et ça recommençait!
« Bremze, bremze, bremze. »
« Shipshe, shipshe, shipshe »...
je n'arrive pas à le prononcer
à cause de mon... dentier. C'est du polonais :
bremze ou *shipshe...*

Que signifie bremze *?*

C'est une expression ukrainienne : « Vite, vite! »
A nouveau la chasse. Une pluie de coups de fouet.
Le SS Küttner en avait un grand comme lui!
Femmes à gauche. Hommes à droite.
Et toujours, toujours, les coups!

Aucun répit?

Aucun répit.
Par ici, par là, shipshe, shipshe, vous voyez?

A la course!

Toujours à la course, toujours.

Course et cris!

Et c'est comme ça qu'on les a « finis »...

C'était la technique?

C'était la technique.
Car ne l'oubliez jamais : ça devait aller vite!

Et le commando bleu avait aussi pour tâche
de conduire les vieux et les malades
à l'« hôpital ». Car
ils auraient freiné la marche des opérations vers
les chambres à gaz.
Cela aurait duré trop longtemps avec les vieux.

C'étaient les Allemands qui décidaient
d'envoyer tel ou tel à l'« hôpital » :
les Juifs du commando bleu n'étaient
que l'« instrument d'exécution » :
ils guidaient les gens vers l'« hôpital »,
ou les y transportaient sur des brancards.
Vieilles femmes, enfants malades,

enfants dont la mère était malade,
ou encore la grand-mère trop âgée,
alors on laissait l'enfant à l'aïeule,
car elle ne savait pas! L'« hôpital »!
Un drapeau blanc avec une croix rouge le signalait.
Un passage y menait.
Jusqu'au bout, ils ne voyaient rien. Puis...
ils découvraient les morts dans la fosse.

Oui.

Ils devaient alors se déshabiller,
s'asseoir sur un remblai
et on les tuait d'une balle dans la nuque.
Ils tombaient dans la fosse.
Ça flambait toujours dans la fosse : un feu –
alimenté d'ordures, de papier et d'essence,
et l'être humain brûle très bien.

Richard Glazar (Suisse), survivant de Treblinka.

L'« hôpital » était un emplacement étroit,
très proche de la rampe.
On y conduisait les vieux.
Moi-même j'ai été amené à le faire.
Ce lieu d'exécution – l'« hôpital » – était à ciel ouvert, sans toit,
mais lui aussi camouflé,
afin que nul ne puisse voir à l'intérieur.
On y accédait par un étroit passage,
très court, qui ressemblait
au « Schlauch » [boyau].
Un mini-labyrinthe.
Au milieu se trouvait une fosse.
Sur la gauche, quand on entrait,
près d'une petite cabane,
il y avait une sorte de poutre.
Comme un plongeoir.

Quand elles n'avaient pas la force de se tenir debout,
les victimes devaient s'y asseoir...
et alors – c'est ainsi qu'on disait
dans le jargon de Treblinka –
l'Unterscharführer Miete
« guérissait chacun d'une pilule ».
C'est-à-dire d'une balle dans la nuque.

En périodes de pointe,
c'était quotidien.
La fosse,
qui faisait bien
trois mètres cinquante à quatre mètres de profondeur,
débordait alors de cadavres.

Mais il y avait aussi des cas
où, pour une raison ou une autre, des enfants
arrivaient tout seuls,
séparés, je ne sais pourquoi, de leurs parents.
Ces enfants étaient conduits eux aussi à
l'« hôpital »,
pour y être abattus.

Et l'« hôpital » était également pour nous,
les esclaves à Treblinka,
l'ultime étape.
Pas la chambre à gaz.
Nous finissions toujours à l'« hôpital ».

Rudolf Vrba (New York), survivant d'Auschwitz.

Il y en avait toujours qui ne pouvaient pas sortir des wagons :
ceux qui étaient morts en route,
ou ceux qui étaient malades à un tel point

que même la persuasion par les coups
ne parvenait pas à les faire bouger.
Ils restaient donc dans les wagons.
Notre première tâche était d'y monter,
d'en sortir les morts et les mourants
et de les transporter *laufschritt,*
selon l'expression SS, c'est-à-dire à la course.

Laufschritt, oui, jamais marcher,
toujours *laufschritt...*

... immer laufen...

...*immer laufen,* toujours courir...
très sportifs... C'est une nation sportive, vous
savez !

Nous devions donc sortir ces corps,
et, au pas de course, les transporter
jusqu'à un camion en tête de la rampe.
Il y avait toujours des camions prêts, en attente :
cinq ou six, quelquefois plus,
c'était selon... Mais le premier
était pour les morts et les mourants.
Ils se souciaient peu de diagnostiquer
précisément
qui est mort et qui feint de l'être, vous comprenez,
les simulateurs...

On remplissait le camion.
Après quoi, les camions démarraient :
celui des morts allait en premier, droit au
crématoire
qui se trouvait à environ deux kilomètres
de la rampe.

En ce temps-là, deux kilomètres !
C'était avant la construction de la nouvelle
rampe ?

Oui, avant la construction de la nouvelle rampe.
C'était la vieille rampe.
Et c'est par elle
qu'est passé le premier million sept cent
cinquante mille Juifs.

Par cette vieille rampe.
C'est-à-dire la majorité.

La nouvelle rampe ne fut construite qu'en
prévision de l'extermination « éclair »
d'un million de Juifs hongrois.

Toute la machinerie de mort reposait sur ce seul
principe :
que les gens ne sachent ni où ils arrivent,
ni ce qui les attend.
Ils étaient supposés marcher sans panique
et en bon ordre vers la chambre à gaz.
La panique était surtout dangereuse pour les
femmes avec petits enfants.
Il était donc capital pour les nazis
qu'aucun de nous ne puisse dire un mot qui
provoque une panique, même au dernier instant.
Et quiconque tentait d'établir un contact
était ou bien battu à mort,
ou tué d'une balle derrière un wagon.
Qu'une panique éclate,
entraînant un massacre sur place, sur la rampe,
c'était toute la machinerie qui s'enrayait !
Le prochain train n'entre pas avec des morts et
du sang partout !
La panique n'en eût été qu'accrue.
Pour les nazis, un impératif :

que tout se déroule sans heurts,
sans aucun accroc. On ne perd pas de temps.

Filip Müller,
survivant des cinq liquidations du « commando spécial »
d'Auschwitz.

Avant chaque « gazage »,
les SS prenaient des mesures très strictes.
Le crématoire était cerné d'un cordon de SS
et leurs hommes occupaient la cour en grand
nombre avec des chiens et des mitrailleuses.

Sur la droite partaient les escaliers
qui conduisaient au vestiaire souterrain.
A Birkenau il y avait quatre crématoires,
Les crématoires II et III, et IV et V.
Les crématoires II et III étaient identiques.
Dans les crématoires II et III, le vestiaire
et la chambre à gaz se trouvaient au sous-sol.
Un grand vestiaire,
d'environ 280 m^2,
et une grande chambre à gaz
où on pouvait
gazer jusqu'à trois mille personnes à la fois.
Les crématoires IV et V étaient d'un autre type :
ils n'avaient pas de salle souterraine,
tout était au niveau du sol.
Les crématoires IV et V comportaient
trois chambres à gaz :
leur capacité globale était de mille huit cents
à deux mille personnes au plus.

Les gens, à leur approche du crématoire,
voyaient tout...
cette terrible violence,

le terrain tout entier cerné de SS en armes,
les chiens qui aboyaient,
les mitrailleuses.

Tous doutaient... surtout les Juifs polonais.
Sans doute étaient-ils animés d'un noir pressentiment...
Mais aucun d'eux, dans ses pires cauchemars,
n'aurait pu imaginer
que dans trois ou quatre heures il serait réduit en cendres.

Quand ils débouchaient dans le vestiaire
leur apparaissait un véritable
Centre International d'Information !
Aux murs étaient fixées
des patères
et chacune portait un numéro.
Au-dessous, des bancs de bois,
afin que les gens puissent se dévêtir
« plus à l'aise », comme ils disaient.
Et sur les nombreux piliers de soutènement
de ce vestiaire souterrain
étaient placardés des slogans
en toutes les langues :
« Sois propre ! »,
« Un pou – ta mort ! »,
« Lave-toi ! »,
« Vers la salle de désinfection ».
Tous ces panneaux
ayant pour unique fonction
de leurrer vers la chambre à gaz les gens déjà dévêtus.
Et sur la gauche, à la perpendiculaire,
la chambre à gaz,
équipée d'une porte massive.

Dans les crématoires II et III, les soi-disant
« désinfecteurs SS »
introduisaient les cristaux de gaz Zyklon
par le plafond
et dans les crématoires IV et V,
par des ouvertures latérales.

Avec cinq ou six boîtes de gaz
ils tuaient deux mille personnes.
Les « désinfecteurs »
arrivaient dans un véhicule marqué d'une croix rouge
et escortaient les colonnes
pour leur faire croire
qu'ils les accompagnaient au bain.
Mais, en réalité, la croix rouge n'était qu'un masque;
elle camouflait les boîtes de Zyklon et les marteaux pour les ouvrir.

La mort par le gaz durait
de dix à quinze minutes.
Le moment le plus affreux était
l'ouverture de la chambre à gaz,
cette vision insoutenable :
les gens, pressés comme du basalte,
blocs compacts de pierre.
Comment ils s'écroulaient hors des chambres à gaz !
Plusieurs fois j'ai vu cela.
Et c'était le plus dur de tout.
A cela on ne se faisait jamais.
C'était impossible.

Impossible.

Oui. Il faut imaginer : le gaz,
lorsqu'il commençait à agir,

se propageait de bas en haut.
Et dans l'effroyable combat qui s'engageait alors
– car c'était un combat –
la lumière était coupée dans les chambres à gaz,
il faisait noir, on ne voyait pas,
et les plus forts voulaient toujours monter,
monter plus haut.
Sans doute éprouvaient-ils
que plus ils montaient,
moins l'air leur manquait,
mieux ils pouvaient respirer.
Une bataille se livrait.
Et en même temps presque tous se précipitaient
vers la porte.
C'était psychologique, la porte
était là... ils s'y ruaient, comme pour la forcer !
Instinct irrépressible
dans ce combat de la mort.
Et c'est pourquoi les enfants et les plus faibles,
les vieux, se trouvaient au-dessous.
Et les plus forts au-dessus.
Dans ce combat de la mort,
le père ne savait plus que son enfant était là,
sous lui.

Et quand on ouvrait les portes... ?

Ils tombaient...
ils tombaient comme un bloc de pierre...
une avalanche de gros blocs déferlant d'un
camion.
Et là où le Zyklon avait été versé, c'était vide.
A l'emplacement des cristaux il n'y avait
personne.
Oui. Tout un espace vide.
Vraisemblablement les victimes sentaient
que là le Zyklon agissait le plus.
Les gens étaient... ils étaient blessés,
car dans le noir c'était une mêlée,
ils se débattaient, se combattaient.

Salis, souillés,
sanglants,
saignant des oreilles, du nez.

On observait aussi certaines fois
que ceux qui gisaient sur le sol
étaient, à cause de la pression des autres,
totalement méconnaissables...
des enfants avaient le crâne fracassé...

Oui.

Comment ?

Affreux...

Oui. Vomissures,
saignements. Des oreilles, du nez...
Sang menstruel aussi peut-être, non,
pas peut-être, sûrement !
Il y avait tout dans ce combat pour la vie...
ce combat de la mort. C'était affreux à voir.
Et c'était le plus difficile.

C'était un non-sens
de dire la vérité à quiconque
franchissait le seuil du crématoire.
Là, on ne pouvait sauver personne.
Là, il était trop tard.
Un jour, en 1943
– je me trouvais déjà au crématoire V –,
est arrivé un transport de Bialystok.
Et un détenu du « commando spécial »
a reconnu, dans le vestiaire,
la femme d'un de ses amis.
Sans détour il lui annonça :
« On va vous exterminer.
Dans trois heures vous serez en cendres. »
Et cette femme l'a cru, car elle le connaissait.
Elle s'est mise à courir

et a averti les autres femmes :
« On va nous tuer ! »
« On va nous gazer ! »
Les mères, avec leurs enfants
sur les épaules, ne voulaient pas entendre cela.
Elles décidèrent que l'autre était folle.
Elles la repoussèrent.
Alors elle alla vers les hommes.
Mais en vain.
Non qu'ils ne l'aient pas crue,
la rumeur avait filtré à Bialystok, au ghetto,
à Grodno et ailleurs...
Mais qui donc voulait entendre cela !
Et quand elle a vu que personne ne l'écoutait,
elle s'est lacéré entièrement le visage,
de désespoir. Sous le choc.
Et elle a hurlé.

Et quelle a été la fin ?
Tous sont allés à la chambre à gaz, on a retenu la femme.
Nous avons dû nous aligner devant les fours.
D'abord, ils ont torturé la femme, terriblement torturé,
car elle ne voulait pas trahir.
A la fin elle a désigné celui qui avait parlé.
Ils l'ont sorti des rangs et jeté vivant dans le four.
Ils nous ont dit : « Quiconque parlera finira ainsi ! »

Nous nous sommes souvent interrogés,
au « commando spécial » :
comment dire
la vérité aux gens ?
Comment la leur apprendre...
Mais

l'expérience – ça n'a pas été un cas unique,
ça s'est produit plusieurs fois –
nous a montré que c'est inutile.
Que cela rend leurs derniers instants
encore plus difficiles.
A la rigueur, c'est du moins ce que nous avions
pensé, pour les Juifs de Pologne
– ou ceux de Theresienstadt (du camp des
familles tchèques)
qui avaient déjà vécu six mois à Birkenau –
cela aurait pu avoir un sens
de leur parler.
Mais les autres, imaginez donc :
les Juifs de Grèce, ceux de Hongrie,
ceux de Corfou,
qui avait voyagé pendant dix ou douze jours,
affamés,
pas une goutte d'eau, morts de soif,
à leur arrivée ceux-là étaient comme fous.
Avec eux il en allait autrement.
Ils leur disaient :
« Déshabillez-vous et aussitôt vous aurez chacun
un bol de thé. »
Et ces Juifs étaient dans un tel état,
à cause de l'interminable épreuve du voyage,
que toute leur pensée, leur pensée entière
était centrée sur ce seul but : étancher leur soif.
Et les bourreaux le savaient bien.
C'était, dirais-je, programmé d'avance,
un processus d'extermination programmé,
calculé :
on les affaiblissait à ce point,
on ne leur donnait rien à boire,
afin qu'ils courent aux chambres à gaz.
En réalité,
ces gens étaient déjà presque exterminés
avant même la chambre à gaz.

Imaginez les enfants.
Ils suppliaient leurs mères, ils criaient :
« Maman, par pitié, de l'eau, de l'eau ! »
Et les adultes aussi, qui n'avaient pas bu depuis des jours, avaient la même obsession.
Leur parler n'aurait eu aucun sens.

Corfou.
Un survivant d'Auschwitz.

Ce sont mes neveux, ils les ont brûlés à Birkenau.
Les deux fils de mon frère.
Ils les ont emmenés au crématoire avec leur maman.
Tous brûlés à Birkenau.
Mon frère, il était malade
et ils l'ont mis au four,
au crématoire et ils l'ont brûlé,
à Birkenau.

Moshe Mordo.

Mon aîné avait dix-sept ans,
le cadet quinze ans.
Encore deux autres enfants tués avec la maman,
oui, quatre enfants.

Et votre père aussi ?

Mon papa aussi.

Quel âge, le père ?

Quatre-vingt-cinq ans, mon papa,
il était vieux.

Il est mort à Auschwitz ?

Oui, Auschwitz,
quatre-vingt-cinq ans et il est mort à Birkenau,
mon père.

Il a fait tout le voyage ?

Oui,
toute la famille est morte.
D'abord le gaz, après le crématoire.

Armando Aaron, Président de la communauté juive de Corfou.

Vendredi matin, 9 juin 1944,
sont venus tous les membres de la communauté juive de Corfou pleins de peur
et ils se présentaient devant les Allemands.
Cette place était pleine de forces de la Gestapo et de la police,
et nous nous sommes avancés. Là, ils étaient même des traîtres, les frères Rekanati, Juifs d'Athènes,
lesquels, après la guerre, se sont condamnés pour être toute leur vie à la prison.
Mais maintenant, ils sont déjà libres.
Nous nous sommes avancés; nous avons reçu l'ordre de nous avancer et nous nous sommes...

Vous êtes arrivés par cette rue ?

Oui, par cette rue.

Il y avait combien de personnes ?

Jusqu'à mille six cent cinquante.

Ça faisait beaucoup de monde ?

Il y avait du monde, du monde. Les chrétiens s'étaient arrêtés là-bas.
Les chrétiens, oui,
qui voyaient.

Ils étaient où, les chrétiens ?
Ils étaient au coin de la rue ?

Oui. Et aux balcons.
Ici, après que nous nous sommes ramassés,
il est venu derrière nous la Gestapo avec la mitraille.

Quelle heure était-il ?

Six heures du matin.

C'était un beau jour ?

Un beau jour.
Oui. Six heures du matin.

Ça fait beaucoup de monde,
mille six cents personnes...

Il s'était ramassé le monde.
Peu à peu les chrétiens ont entendu que l'on ramassait les Juifs.
Ils se sont ramassés là.

Pourquoi ça ?

Pour voir le cinéma.
Espérons que ça n'arrivera plus.

Et vous aviez peur ?

Plein de peur. Quand on voyait...
Il y avait des jeunes gens, des malades,
de petits enfants, des vieux, des fous, etc.
Quand nous avons vu qu'on avait amené même les fous, même les malades de l'hôpital,
alors nous avons eu très peur
et nous craignions beaucoup pour la vie de toute la communauté.

Qu'est-ce qu'on vous avait dit ?

Que nous devions nous présenter ici à la forteresse
pour nous amener pour travailler en Allemagne.
Non, en Pologne, en Pologne.

Les Allemands ont affiché à tous les murs de Corfou
une proclamation qui disait que tous les Juifs :
il faut se présenter.
Et maintenant que nous nous sommes ramassés,
on va vivre mieux sans notre présence en Grèce,
et c'était signé par des préfets, par des directeurs de la police et par des maires.

C'est-à-dire qu'on va mieux vivre sans les Juifs ?

Oui. Nous l'avons vu après que nous sommes retournés, n'est-ce pas.

Est-ce qu'il y avait de l'antisémitisme à Corfou ?

Ça a toujours existé, l'antisémitisme à Corfou ?

Il existait, oui, il existait,
mais il n'était pas, les dernières années, il n'était pas si fort.

Pourquoi ?

Parce qu'on ne pensait pas ainsi contre les Juifs.

Et aujourd'hui ?

Aujourd'hui, non, nous sommes libres.

Et quelles sont vos relations aujourd'hui avec les chrétiens ?

Bonnes, très bonnes. Très bonnes.

Que dit Monsieur ?

Il me demande ce que vous me demandez.
Il dit lui-même qu'elles sont très bonnes,
les relations avec les chrétiens.

Tous les Juifs étaient concentrés dans un ghetto ?

Oui, la plupart.

Qu'est-ce qui s'est passé après le départ des Juifs ?

On a pris toutes nos propriétés,
on nous a pris tout l'or que nous avions avec nous,
on nous a pris les clefs de notre maison
et on a tout volé.

Qui a volé tout ça ?

Selon la loi, c'était donné à l'Etat grec.
Mais une petite part est arrivée à l'Etat grec
et tout le reste a été volé, usurpé.

Usurpé par qui ?

Par tout le monde, et par les Allemands.

Sur les mille sept cents personnes
qui ont été déportées...
... cent vingt-deux ont survécu. 95 % ont péri.
Ça a été long le voyage de Corfou
à Auschwitz ?
Nous nous sommes arrêtés ici le 9 juin
et nous sommes définitivement arrivés le 29.
Et le 29, la nuit, ont été brûlés la plupart.
Le voyage a duré du 9 au 29 juin ?
Ici, nous sommes restés à peu près cinq jours.
Ici à la forteresse.
Personne n'osait s'évader et laisser son père, sa mère, ses frères.
Nous avions une solidarité, même religionnaire, même familiale.
Le 11 juin est parti le premier groupe.
Moi, je suis parti au deuxième envoi du 15 juin.
C'était quel genre de bateau ?
Zattera, c'est-à-dire des barils avec des planches.
Il était tiré par un petit bateau
où il y avait des Allemands.
Sur notre bateau, il y avait un, deux ou trois gardes,
c'est-à-dire pas beaucoup d'Allemands, mais c'était la terreur,
comme vous comprenez bien, qui
était le meilleur gardien.
Et les conditions du voyage ?
Terribles. Terribles.
Sans eau, sans rien à manger, quatre-vingt-dix wagons,
où on pouvait rester seulement vingt bêtes,
tous debout, beaucoup sont morts.
Et les morts, on les mettait dans un autre wagon,
avec du chlore. Ils les ont brûlés, même les morts,
à Auschwitz.

Walter Stier, ex-membre du parti nazi, ancien chef du bureau 33 de la « Reichsbahn » (chemins de fer du Reich).

Vous n'avez jamais vu un train ?

Non, jamais. Jamais.
Nous étions débordés, je ne quittais pas mon bureau.
Nous avons travaillé jour et nuit.

« Gedob ».

« Gedob », cela veut dire...

« Direction Générale du Trafic à l'Est ».
En janvier 1940, j'ai été affecté à la « Gedob » Cracovie.
A la mi-1943 on m'a muté à Varsovie.
Là j'ai été nommé « Chef de la Direction des Horaires ».
Ou plutôt : « Chef de la Section des Horaires ».

Mais votre activité était la même après 1943 ?

Oui. La seule différence,
c'est que j'avais été promu chef.

Quelles étaient vos tâches spécifiques
à la Gedob, à l'Est, pendant la guerre ?

Le travail était pratiquement
le même qu'en Allemagne.
L'établissement des horaires, la coordination
des « trains spéciaux » avec les trains ordinaires.

Il y avait différents bureaux ?

Oui.
Le bureau 33 était chargé des « trains spéciaux »...
et des trains ordinaires.
Les « trains spéciaux » dépendaient tous du 33.
Vous, c'étaient toujours les « trains spéciaux » ?
Oui.

En quoi un train spécial diffère-t-il
d'un train normal ?

Un train normal, n'importe qui peut le prendre,
il suffit d'acheter un billet.

Un train spécial, il faut le commander
spécialement,
– il n'est formé que sur ordre –
et les gens paient alors un tarif de groupe.

Y en a-t-il encore aujourd'hui ?

Bien sûr.
Exactement comme autrefois. Oui.

Pour un voyage organisé,
on forme un train spécial ?

Oui, par exemple, les travailleurs immigrés,
quand ils rentrent chez eux pour les fêtes,
on met à leur disposition des trains spéciaux.
Sinon, on ne pourrait jamais
maîtriser le trafic.

Vous m'avez dit qu'après la guerre,
vous vous occupiez des voyages protocolaires.

Après la guerre, oui.

Quand un roi vient en Allemagne par le train,
c'est un train spécial ?

C'est un train spécial, oui.
Mais il s'agit alors d'une procédure différente
de celle des trains spéciaux pour voyages
organisés, etc.
Les visites d'Etat relèvent des Affaires étrangères.

Mais pourquoi y a-t-il eu plus de trains spéciaux
pendant la guerre qu'avant ou après ?

Ah ! ah ! Je vois où vous voulez en venir.
Vous faites allusion aux « transports de
transférés », c'est bien ça ?

Oui, oui, « transférés ».

C'est ainsi qu'on les nommait. Et ces trains dépendaient du ministère des Transports du Reich. Il fallait un ordre du ministère des Transports du Reich.

C'est-à-dire de Berlin ?

Berlin, oui.
Et, pour ce qui était de l'exécution pratique,
c'était la *Direction Générale du Trafic-Est,*

à Berlin, qui s'en chargeait.

Oui, oui. Je comprends.

Ai-je été assez clair ?

Oui, très.
Mais en général, à l'époque, qui
« transférait »-on ?

Non ! Ça, nous ne le savions pas.
C'est seulement en fuyant Varsovie
que nous l'avons appris : il se serait agi de Juifs,
de criminels et autres...

Juifs, criminels...

Criminels. De tout.

« Trains spéciaux » pour criminels ?

Non, non. Ce n'était qu'une façon de parler.
Là-dessus il fallait se taire.
Si vous n'en aviez pas assez de la vie,
il valait mieux ne pas piper.

Mais saviez-vous alors que ces transports
étaient à destination de Treblinka ou Auschwitz...

Bien sûr que nous le savions !
J'étais la dernière *Direction* :
sans moi, ces trains ne touchaient pas au but.
Par exemple, un train était formé à Essen,
il devait passer par les districts de Wuppertal,
de Hanovre, Magdeburg, Berlin,
Francfort-sur-Oder, Posen, Varsovie, etc.
Alors c'est moi...

Saviez-vous que Treblinka signifiait
extermination ?

Non, bien sûr !

Vous ne saviez rien ?

Grand Dieu, non ! Comment l'aurions-nous su ?
Je n'ai jamais mis les pieds à Treblinka.
Je suis resté
à Cracovie, à Varsovie, vissé à mon bureau.

Vous étiez un...

J'étais un pur bureaucrate.

Je vois. Mais c'est étonnant que vous,

de la « section des trains spéciaux »,
n'ayez jamais rien su de la Solution finale.
C'était la guerre...
Il y en avait d'autres,
dans les chemins de fer, qui savaient.
Par exemple, les chefs de trains...
Eux ont vu, ils ont vu,
mais ce qui se passait, je...
Qu'était Treblinka pour vous ?
Ou Auschwitz ?
Oui, oui. Treblinka, Belzec et tous ces noms,
pour nous, c'étaient des camps de concentration.
Une destination...
Oui, rien d'autre.
Mais pas la mort.
Non, non. Un hébergement.
Par exemple, un train arrivant de Essen,
ou de Cologne, ou d'ailleurs;
là-bas, il leur fallait de la place.
La guerre, les Alliés qui avançaient toujours plus...
et ces gens, nous devions les concentrer dans un camp.
Quand avez-vous su exactement ?
Eh bien... quand ça a été ébruité... Ebruité, chuchoté...
jamais dit ouvertement. Grand Dieu, non,
on serait tout de suite venu vous chercher ! Des bruits...
Des rumeurs ?
Des rumeurs, c'est ça...
Pendant la guerre ?
Vers la fin de la guerre.
Pas en 1942 ?
Non, non. Grand Dieu, non ! Aucun signe !
C'était, voyons, fin 1944, peut-être...
Fin 1944 ?
Pas avant.

Et qu'avez-vous...

On racontait
que les gens étaient envoyés dans des camps de concentration
et que les moins vigoureux ne survivraient sans doute pas.

L'extermination a été une surprise pour vous ?

Totale, oui.

Aucune idée ?

Pas la moindre ! Comme ce camp,
quel est son nom,
voyons... qui appartenait au district d'Oppeln...
j'y suis : Auschwitz !

Oui.
Auschwitz dépendait d'Oppeln.

Oppeln, oui. Auschwitz n'était pas loin
de Cracovie.

C'est vrai.

Pourtant, on n'en a jamais entendu parler.

Auschwitz-Cracovie, c'est soixante kilomètres.

Oui, c'est vraiment tout près !
Et nous ignorions tout. Pas un indice !

Mais vous saviez au moins que les nazis,
que Hitler n'aimaient pas les Juifs ?

Ça, oui. C'était notoire,
publié. Ça n'était pas un secret.
Mais leur extermination,
première nouvelle !
Même aujourd'hui, il y en a qui la contestent :
« Impossible qu'il y ait eu autant de Juifs ! »
Ont-ils raison ? Je ne sais pas,
c'est ce qui se dit.
De toute façon, excusez le mot,
c'est une cochonnerie !

Quoi donc ?

L'extermination.
Chacun l'a condamnée. Tous les honnêtes gens !
Mais pour ce qui est d'avoir su... ça non !

Oui, mais les Polonais, par exemple,
– la population polonaise –, ils ont tout su.
Ça n'a rien d'étonnant, *docteur Sorel...*
Ils vivaient à proximité, ils entendaient,
ils parlaient...
Et eux n'étaient pas obligés de se taire !

Raul Hilberg, historien (Burlington, Etats-Unis).

Ceci est « l'ordre de route » n° 587,
typique des trains spéciaux.
Le numéro vous donne une idée de leur nombre.
Au-dessous, *Nur für den Dienstgebrauch* :
« Réservé à l'usage interne »,
ce qui est très bas dans l'échelle du secret.
Et que sur ce document concernant les trains de la mort, il n'y ait pas
– non seulement sur celui-ci, mais sur aucun –
le mot *geheim,* secret, est étonnant pour moi.
Mais à la réflexion, le terme « secret » eût incité
les destinataires à s'interroger,
à poser peut-être plus de questions,
eût arrêté leur attention.
Or, la clé de toute l'opération sur le plan
psychologique était de ne jamais nommer
ce qui était en train de s'accomplir.
Ne rien dire.
Faire les choses.
Ne pas les décrire.
D'où le : « Réservé à l'usage interne ».t voyez aussi combien ont connaissance de ce document !
« Bfe » : gares.
Sur cette ligne, nous en avons...
huit, et ici, nous sommes à Malkinia qui est bien sûr
la dernière gare avant Treblinka.
Vous avez donc huit destinataires

pour cette relativement courte distance,
via Radom, jusqu'au district de Varsovie,
huit, car le train passe par ces huit gares
et chacune d'elles doit être avisée.
Mais pourquoi deux feuillets si un seul suffit ?
Nous trouvons donc PKR, sigle qui désigne
un train de la mort roulant vers son but,
mais aussi le train vide après son arrivée
à Treblinka
qui maintenant en repart.
Et vous le savez vide par la lettre L,
leer, figurant ici.

Oui, « Ruckleitung des Leerzuges »,
qui signifie « retour du train vide ».

Observez
le peu de subtilité du système de numérotation :
nous passons de 9228 à 9229,
puis 9230, 9231, 9232.
Aucune originalité ici, un trafic des plus
ordinaires.

Trafic de mort !

Trafic de mort.

Et maintenant, le train quitte un ghetto
en cours de liquidation,
pour Treblinka.
Il part le 30 septembre 1942
à 4 h 18 – selon l'horaire tout au moins –
et il arrive à Treblinka le matin suivant, à 11 h 24.
C'est un très long train,
cela explique sa lenteur.
Vous lisez : « 50G »,
cinquante wagons de marchandise,
bourrés de gens :
un transport exceptionnellement « lourd ».
Heure d'arrivée : 11 h 24,
c'est le matin,

15 h 59, heure de départ. Dans ce laps de temps,
le train doit être déchargé, nettoyé,
et prêt à repartir.
Et la numérotation se poursuit
avec le train vide.
Il part à 4 heures de l'après-midi
et se dirige vers une autre petite ville,
où il prend des victimes.
Et vous voyez, il est 3 heures du matin
quand il repart pour Treblinka,
qu'il atteint le lendemain.

Mais on dirait qu'il s'agit du même train.

C'est le même, mais oui, le même,
seul le numéro change à chaque fois.
Donc il retourne à Treblinka.
Encore un long trajet. Il arrive puis repart
ailleurs.
Même situation, même voyage.
Re-départ pour Treblinka
et finalement arrivée à Czestochowa
le 29 septembre.
Et la boucle est bouclée.
C'est ce qu'on appelle un « ordre de route ».
Et si vous faites le compte des trains pleins...
nous parlons peut-être de dix mille Juifs morts
sur ce seul « ordre de route ».

Plus de dix mille!

Soyons modestes.

Mais pourquoi un pareil document
est-il si fascinant?
Car j'étais à Treblinka et considérer
à la fois Treblinka et le document...

Quand j'ai en main une telle pièce,
surtout s'agissant d'une pièce originale,
je sais que le bureaucrate de l'époque
l'a eu lui-même entre les mains.
C'est un artefact. C'est tout ce qui demeure.
Les morts ne sont plus là.

La Reichsbahn était prête à transporter
n'importe quelle cargaison contre argent.
Et donc à expédier les Juifs
vers Treblinka,
Auschwitz, Sobibor ou ailleurs,
pourvu qu'on la paie au kilomètre, selon le prix en vigueur,
tant de pfennigs par kilomètre.
Le système fut le même tout au long de la guerre :
demi-tarif pour les moins de dix ans, gratuité
pour les moins de quatre ans.
On ne payait que l'aller simple.
Pour les gardes seuls, le retour était inclus.

Pardon, les enfants de moins de quatre ans
envoyés dans les camps d'extermination
étaient gazés sans frais ?

Oui, le transport était gratuit.
En outre, l'organisme payeur
était celui qui passait commande des trains
– la Gestapo, les services d'Eichmann –
et parce que cet organisme
avait des problèmes de trésorerie,
la Reichsbahn consentit des tarifs de groupe.
Les Juifs furent ainsi transportés au tarif excursion.
Celui-ci s'appliquait
à partir d'un minimum de quatre cents
personnes : tarif charter.
Mais les Juifs en bénéficièrent
même s'ils étaient moins de quatre cents,
et de ce fait, pour les adultes aussi, ce fut moitié prix.
Maintenant, si les wagons étaient souillés
ou endommagés – ce qui n'était pas rare –
à cause des longs trajets
et parce que 5 à 10 p. 100 des prisonniers
mouraient en route,

un supplément était facturé pour les dégâts.
Mais, en principe,
tant qu'il y eut paiement, il y eut transport.
Parfois, les SS obtenaient du crédit
et les transports précédaient le paiement.
Car voyez-vous, toute l'affaire
– c'était le cas pour n'importe quel voyage,
de groupe ou individuel –
était traitée par une agence de voyages.
C'est « l'Agence de voyages d'Europe centrale »
qui s'occupait de la facturation, de la billetterie...

Vraiment, c'était la même agence ?

Absolument, l'agence de voyages officielle !
Elle expédiait les gens aux chambres à gaz
ou les vacanciers vers leur villégiature préférée.
C'était le même bureau, la même procédure,
la même facturation.

Aucune différence !

Aucune différence.
Et chacun faisait ce travail comme
s'il était le plus normal du monde.

Et il ne l'était pas !

Non, il ne l'était pas.

Et même les règles compliquées de change
étaient observées
si des frontières devaient être franchies,
ce qui n'était pas rare.

Par exemple ?

Eh bien, le cas le plus intéressant est la Grèce,
les transports de Salonique, au printemps 1943 :
quarante-six mille victimes, une distance
considérable.
Même au tarif groupe, la facture se montait à
deux millions de marks.
C'était une somme !
Et le principe de base est le même encore
aujourd'hui, partout dans le monde.

On paie dans la monnaie du pays d'origine,
mais il faut rembourser les chemins de fer des
pays traversés dans leur propre monnaie.

De Salonique, ils passaient par la Grèce...
C'étaient des drachmes.

Oui, et puis ils empruntaient les réseaux serbe et
croate,
enfin la Reichsbahn, qui voulait des marks.
Et, ironie, le commandant militaire à Salonique,
responsable en dernier ressort
du paiement de l'opération,
n'avait pas les marks.
Mais il avait des drachmes.
Celles-ci provenaient des biens juifs confisqués,
utilisés précisément à cette fin :
c'était de l'autofinancement.
Les SS, ou l'armée, confisquaient les biens juifs
et avec les dépôts bancaires,
finançaient les transports.

Les Juifs eux-mêmes payaient donc pour
leur mort !

Absolument. N'oubliez jamais :
il n'y avait pas de budget pour la Destruction.

Parfait, les dépôts juifs avaient été confisqués,
mais ils étaient en monnaie grecque.
La Reichsbahn exigeait des marks !
Mais comment changer les drachmes en marks ?
Vous aviez des contrôles de change partout
en Europe occupée. Une solution :
trouver des marks sur place, dans le pays même.
Mais comment ?
Ce n'était pas si facile en temps de guerre.
Et donc, pour une fois, il y eut une faille :
le transport pour Auschwitz se fit sans
compensation.

Filip Müller.

La vie du « commando spécial » dépendait
des transports destinés à l'extermination.

Quand ceux-ci arrivaient nombreux,
on « gonflait » le « commando spécial ».
Le « commando » était indispensable aux
Allemands,
il n'y avait donc pas de sélection.

Quand, au contraire, les transports se raréfiaient,
cela signifiait pour nous une extermination
immédiate.

Nous savions, au « commando spécial »,
que l'absence de transports
entraînerait notre liquidation.

Le « commando spécial » vivait dans une
situation extrême.
Chaque jour, sous nos yeux, des milliers

et des milliers d'innocents
disparaissaient par la cheminée.
Nous pouvions percevoir, de nos propres yeux,
la signification profonde de l'être humain :
ils arrivaient là,
hommes, femmes, enfants, tous innocents...
disparaissaient soudain...
et le monde était muet !
Nous nous sentions abandonnés.
Du monde, de l'humanité.
Et c'est précisément dans ces circonstances
que nous comprenions au mieux
ce que représentait la possibilité de survivre.
Car nous mesurions
le prix infini de la vie humaine.
Et nous étions convaincus que l'espoir
demeure en l'homme aussi longtemps qu'il vit.
Il ne faut jamais, tant qu'on vit, abdiquer l'espoir.
Et c'est ainsi que nous avons lutté dans notre vie si dure,
de jour en jour, de semaine en semaine, de mois en mois, d'année en année.
Avec l'espoir que nous réussirions peut-être,
contre tout espoir,
à échapper à cet enfer.

Franz Suchomel, Unterscharführer SS.

En cette période, disons janvier, février, mars,
il n'arrivait presque pas de transports.

C'était triste, Treblinka sans transports ?

Je ne dirai pas que les Juifs étaient tristes.
Ils le sont devenus, quand ils ont compris...
Je dois vous raconter ça à part, c'est une question en soi.

Je sais, c'est une question en soi.

Les Juifs ont d'abord cru, les « Juifs du travail », qu'ils allaient survivre.
Mais lorsqu'on a commencé, en janvier, à ne plus les nourrir,
car Wirth avait décrété qu'ils étaient trop nombreux –
ils étaient bien cinq ou six cents au camp I...

Là-haut ?

Oui.
Et, pour qu'ils ne se rebellent pas,
on ne les a ni fusillés ni gazés,
mais affamés, et alors, des épidémies se sont déclarées,
le typhus, une sorte de typhus.
Alors, les Juifs n'ont plus cru à rien.
On les laissait crever, ils tombaient comme des mouches.
C'était fini.
Ils ne croyaient plus à rien.
On avait beau leur dire...
je... nous leur répétions chaque jour :
« Vous vivrez ! »
On y croyait presque nous-mêmes !
A force de mentir, on croit à ses propres mensonges.
Mais ils me répondaient :
« Non, chef, nous ne sommes que des cadavres en sursis ! »

Richard Glazar.

La « morte-saison », comme on l'a appelée,
a commencé en février 1943,
après les grands transports de Grodno et Bialystok.
Le calme plat.

Déjà fin janvier, tout février et jusqu'en mars, c'était l'accalmie.
Rien. Plus aucun transport n'arrivait,
le camp entier était vide,
et soudain, partout, il y eut la faim.
Et la faim croissait toujours...
et un jour – la faim était alors à son comble –
L'Obersharführer Kurt Franz
surgit devant nous et nous lança :
« Alors... A partir de demain, les transports reprennent ! »
Nous n'avons rien dit,
nous nous sommes simplement regardés,
et chacun de nous a pensé :
« Demain c'en sera fini de la faim. »
A l'époque, nous étions déjà
en pleine préparation de la révolte.
Chacun voulait survivre jusqu'à la révolte.

Les transports provenaient d'un camp
de rassemblement, à Salonique.
On y avait réuni des Juifs de Bulgarie,
de Macédoine.
C'étaient des gens riches et leurs wagons
de passagers regorgeaient.
Alors un sentiment effroyable nous gagna tous,
mes camarades autant que moi-même :
un sentiment d'impuissance absolue,
un sentiment de honte.
Car nous nous sommes jetés sur la nourriture.
Un commando transportait une caisse pleine de biscuits,
une caisse pleine de confiture.
Ils firent exprès tomber les caisses à terre,
trébuchant les uns sur les autres,
s'emplissant la bouche de biscuits et de confiture.

Les transports des pays balkaniques nous ont
amenés à une prise de conscience effrayante :
nous étions les travailleurs de l'usine
de Treblinka,
et nous dépendions de tout le processus
de fabrication...
c'est-à-dire du processus de meurtre à Treblinka.

Cette prise de conscience est venue
soudainement avec ces nouveaux transports ?

Ça n'a peut-être pas été si soudain,
mais c'est seulement avec les transports
des Balkans
que la chose nous est apparue aussi clairement,
sans fard. Pourquoi ?
Vingt-quatre mille personnes,
parmi lesquelles il n'y avait sans doute pas un
malade,
pas un infirme, en parfaite santé, solides.
Je me souviens : nous les observions de notre
baraquement;
déjà nus, ils s'affolaient avec leurs bagages
et David, David Bratt me dit :
« Des macchabées !
Des macchabées sont arrivés à Treblinka ! »
Oui, des gens costauds, forts physiquement,
à la différence des...

Des combattants ?

Oui, ils auraient pu être des combattants.
C'était bouleversant pour nous,
car ces hommes et ces femmes, tous magnifiques,
étaient absolument inconscients de ce qui les
attendait.
Absolument inconscients.

Jamais encore les choses ne s'étaient déroulées
avec tant de perfection et de rapidité. Jamais.

Pour nous c'était la honte, et aussi le sentiment
que ça ne pouvait plus durer,
que quelque chose devait se passer.
Non pas une action limitée,
mais l'action de tous.

L'idée était déjà presque mûre en novembre 1942.
A partir de novembre 1942, nous avons remarqué
qu'on nous « épargnait », entre guillemets.
Nous avons constaté et également appris
que Stangl (le commandant) voulait,
pour un meilleur rendement, garder les hommes
déjà entraînés :
les spécialistes des différents travaux,
spécialistes du tri, hâleurs de cadavres,
coiffeurs qui coupaient la chevelure des
femmes, etc.
Et c'est cela même qui nous a, plus tard, donné
la possibilité de préparer,
d'organiser le soulèvement.

Il y eut un plan, dès janvier 1943,
dont le nom de code était « l'Heure ».
Nous devions, à une heure fixée,
attaquer les SS partout où ils se trouveraient,
nous emparer de leurs armes, donner l'assaut à la
Kommandantur.
Mais cela n'a pas pu se faire,
à cause du « calme plat » qui suivit et parce que le
typhus s'était déjà déclaré.

Filip Müller.

A l'automne 1943,
quand il fut clair pour nous tous

que personne ne nous viendrait en aide
si nous ne nous aidions pas nous-mêmes,
une question centrale se posait à nous :
y avait-il pour nous, au « commando spécial »,
une possibilité d'arrêter cette vague d'extermination
et, en même temps, de sauver nos vies ?
Il nous est apparu qu'il en existait une seule :
la révolte armée.
Nous étions d'avis que si nous parvenions à nous emparer de quelques armes
et à obtenir la participation de l'ensemble des détenus
du camp tout entier, l'insurrection avait une chance de réussir.
Cette participation était indispensable.
C'est pourquoi nos hommes de liaison ont pris contact avec la Centrale du Mouvement de Résistance,
d'abord à Birkenau,
puis à Auschwitz I,
afin de planifier la révolte partout.
Il nous fut répondu que la Centrale de la Résistance,
du Mouvement de Résistance à Auschwitz I,
était d'accord avec notre projet et disposée à collaborer.
Malheureusement, parmi les chefs de la Résistance,
il n'y avait presque pas de Juifs.
La plupart étaient des détenus politiques
dont la vie n'était pas en jeu
et pour qui
chaque jour de gagné représentait une grande chance de survie.
Pour nous, au « commando spécial »,
c'était le contraire.

Auschwitz-Birkenau n'était pas seulement
un camp d'extermination,
c'était aussi un camp de concentration classique,
qui avait sa loi interne, comme Mauthausen,
Buchenwald, Dachau et Sachsenhausen.
Mais si, à Mauthausen, le produit numéro un
du travail esclave était la pierre, extraite d'une carrière,
ce produit à Auschwitz était la Mort.

Tout concourait à la marche du crématoire.
C'était le but : les détenus
construisaient les crématoires, les routes qui y menaient, leurs propres baraques.

Mais Auschwitz était aussi
un camp de concentration classique
car les usines Krupp et Siemens s'étaient installées
en partie à l'intérieur du camp
et utilisaient la main-d'œuvre esclave.

Par tradition, les camps de concentration
comptaient de nombreux prisonniers politiques :
syndicalistes, sociaux-démocrates,
communistes, anciens combattants de la guerre d'Espagne.
Une chose très singulière se produisit :
la Direction de la Résistance à Auschwitz
était tout entière aux mains d'antinazis
germanophones, allemands de naissance,
considérés comme racialement purs par la hiérarchie nazie.

Ils étaient mieux traités que les autres détenus.
Pas avec des gants, certes!
Mais à la longue, ils réussirent
à prendre de l'ascendant sur certains
dignitaires SS :
le résultat fut une amélioration
systématique des conditions de vie
à l'intérieur du camp de concentration lui-même.
Alors qu'en 1943... 1942,
en décembre et janvier, à Birkenau,
un total de quatre cents morts par jour était
habituel,
en mai 1943, moins grâce à la clémence du temps
qu'à l'activité de la Résistance,
le progrès fut si sensible
que la mortalité décrut drastiquement dans le
camp de concentration.
Pour eux, ce fut une grande victoire.

Mais l'amélioration des conditions de vie
dans le camp de concentration
n'allait peut-être pas à l'encontre
de la politique des plus haut gradés de la SS
tant qu'elle n'interférait pas avec l'objectif du
camp
– c'est-à-dire la production de mort sur
les arrivants.
En règle générale,
ceux, parmi eux, qui étaient aptes au travail
– bonne santé, pas trop vieux, pas trop jeunes,
ni enfants, ni femmes avec enfants –,
ceux-là allaient au camp de concentration,
en tant que force fraîche, pour y remplacer les
mourants.
Et j'ai été témoin de la scène suivante :
Un transport venait d'arriver...

... de Hollande ou de Belgique,
je ne sais plus exactement,
et le médecin SS choisissait quelques Juifs
à l'allure saine,
parmi les membres de ce transport destiné à être gazé,
et qui le fut.
Mais le SS délégué du camp de concentration
les refusa.
Une discussion commença alors et j'entendis le médecin dire :
« Pourquoi ne les prends-tu pas ?
Ce sont des Juifs
grassement nourris de fromage de Hollande,
ils sont parfaits pour le camp. »
Et l'Hauptscharführer Fries répondit :
« Je ne peux pas les prendre
car aujourd'hui,
ils ne crèvent pas assez vite au camp. »
Il voulait dire ceci :
Si les besoins du camp étaient, disons,
de trente mille prisonniers,
et si cinq mille mouraient,
ils étaient remplacés par une force neuve,
prélevée sur les transports juifs.
Et si mille seulement mouraient,
mille étaient remplacés.
Et un plus grand nombre était gazé.
Donc, l'amélioration des conditions de vie
au sein du camp de concentration
élevait le taux de mortalité dans les chambres à gaz.
Elle le faisait décroître parmi les détenus du camp.
Je compris alors que l'amélioration de la situation
dans le camp de concentration

ne freinait en rien le processus d'exécution de masse.
En conséquence,
mon idée du mouvement de Résistance
et de sa finalité était celle-ci :
l'amélioration n'est qu'une première étape,
le mouvement de Résistance a pleinement conscience
que l'objectif essentiel
est de stopper le processus d'extermination,
la machinerie de meurtre.
Et donc l'heure est à l'organisation,
au regroupement de forces afin d'attaquer
les SS de l'intérieur,
même s'il s'agit d'une mission suicide,
il faut détruire la machinerie!
Et à cet égard,
je considérais l'objectif comme raisonnable
et pleinement justifié.
Mais je savais aussi que tout cela
ne peut être accompli en un jour,
sans préparatifs ni circonstances favorables.

N'étant qu'un rouage dans la Résistance, je ne pouvais ni les connaître, ni en décider,
Mais il m'était évident
que la finalité de toute action de résistance
dans un camp de concentration comme Auschwitz
ne pouvait être la même qu'à Mauthausen et à Dachau.
Car tandis que dans ces deux camps
la politique de la Résistance permettait la survie des prisonniers politiques,
à Auschwitz,
cette même noble politique
perfectionnait et huilait la machinerie
d'annihilation de masse.

Ruth Elias (Israël), déportée de Theresienstadt, survivante d'Auschwitz.

A Theresienstadt, le transport vers l'Est,
cette fois, fut pour nous.
Nous fûmes chargés dans des wagons à bestiaux,
et cela dura deux jours
et une nuit.
... C'était en décembre [1943],
mais il faisait chaud à l'intérieur des wagons,
car nous produisions nous-mêmes la chaleur
avec nos propres corps.
Un soir, le train s'arrêta,
au soir du deuxième jour,
et les portes furent ouvertes,
et il y eut un terrible hurlement :
« Dehors, dehors, dehors ! »
Nous étions pétrifiés :
qu'arrivait-il ?
Où étions-nous ?
Nous vîmes seulement des SS et des chiens.
Dans le lointain,
un alignement de lumières.
Mais où étions-nous ?
Pourquoi ces milliers de lumières ?
Nous n'entendions qu'un hurlement :
« Dehors, dehors, dehors ! »

Raus !

Oui, exactement,
et « vite, vite, vite ! ».
Nous sortîmes des wagons,
ils nous mirent en rang.
Il y avait des hommes vêtus d'uniformes rayés.
Et j'ai demandé à l'un d'eux en tchèque :
« Où sommes-nous ? »
C'était un Polonais, il comprit mon tchèque et me dit :

« Auschwitz ! »
Ça n'avait aucun sens pour moi.
Qu'était Auschwitz ?
Je ne savais rien...

Nous fûmes conduits dans un camp appelé
« camp des familles » BIIB,
enfants, hommes et femmes tous ensemble,
sans aucune sélection préalable.
Des détenus du camp des hommes
vinrent à nous et nous dirent
qu'Auschwitz est un camp d'extermination,
qu'on y brûle les gens.
Nous n'y avons pas cru.
Au camp BIIB,
il y avait déjà un transport
qui avait quitté Theresienstadt en septembre,
trois mois avant nous.
Eux aussi n'y croyaient pas,
car nous étions tous réunis.
Nul ne fut emmené,
nul ne fut brûlé :
nous n'y avons pas cru.

Rudolf Vrba.

Ces Juifs de Theresienstadt, le ghetto près de Prague, furent installés
dans une partie réservée du camp
appelée Bauabschnitt IIB (BIIB).
J'étais alors chargé du registre des détenus du camp BIIA.
BIIA et BIIB n'étaient séparés que par une
clôture électrifiée, infranchissable,
mais à travers laquelle on pouvait parler.

Au matin, j'examinai la situation.
Il y avait des particularités surprenantes :
les familles – hommes, femmes et enfants –
étaient restées ensemble,
et personne n'avait été gazé.
Ils avaient gardé leurs bagages avec eux,
ils n'étaient pas tondus,
on leur avait laissé leurs cheveux.

Leur situation différait donc
de tout ce que j'avais vu jusqu'alors.
Je ne comprenais pas,
nul ne comprenait.
Mais dans le bureau central d'enregistrement,
on savait que tous ces gens avaient une carte
spéciale avec la mention suivante :
SB avec quarantaine de six mois.
Nous connaissions le sens de SB,
Sonderbehandlung,
« Traitement spécial »,
c'est-à-dire gazage.
Et quarantaine aussi, nous connaissions !
Mais dans notre esprit,
il était absurde de garder quelqu'un au camp
pendant six mois pour le gazer ensuite.
Par conséquent,
nous nous demandions si SB,
« traitement spécial »,
signifie
toujours la mort par le gaz
ou s'il n'a pas peut-être
un double sens.
Les six mois expiraient le 7 mars.

En décembre,
aux environs du 20 je crois,

un autre transport arriva de Theresienstadt,
fort lui aussi de quatre mille personnes
qui rejoignirent celles du premier transport au
camp BIIB.
Là encore, les familles ne furent pas séparées,
vieux, jeunes, rien ne fut touché...
ni leurs cheveux, ni leurs bagages,
ils portaient leurs vêtements civils.
Ils eurent droit à un traitement différent.
Une école fut créée dans un baraquement,
et les enfants, très vite, y montèrent un théâtre.
Leur vie n'était certes pas très confortable
car ils étaient à l'étroit et en six mois,
sur les quatre mille personnes du premier
transport,
mille moururent.

Devaient-ils travailler?

Oui,
mais seulement dans leur camp,
à faire une nouvelle route
et à agrémenter leurs baraques.
Surtout, les SS les incitaient
à écrire à leurs proches restés à Theresienstadt
pour leur dire qu'ils étaient ensemble, etc.

On les nourrissait mieux?

Absolument,
ils étaient mieux nourris,
mieux traités.
Les conditions, voyez-vous, étaient si bonnes
qu'en six mois, un quart seulement mourut,
vieux et enfants inclus.
Pour Auschwitz, c'était exceptionnel!
Et les SS aimaient se rendre au théâtre des
enfants,
jouaient avec eux :
des relations s'étaient nouées.

Bien sûr, une de mes missions était de découvrir
qui parmi ces Juifs tchèques
avait un esprit de résistance,
afin d'établir des contacts.

Vous étiez déjà membre de la Résistance ?

Oui.
Ma position me permettait de me déplacer
sous divers prétextes,
comme porter des papiers au bureau central,
et donc de faire passer des messages,
d'en recevoir.
Et parce que mon camp jouxtait le camp des Tchèques,
j'étais chargé de découvrir
si, parmi eux, certains étaient capables de former
un noyau de résistance.
Nous trouvâmes bientôt plusieurs anciens
des Brigades internationales d'Espagne
et très rapidement
j'eus une liste d'environ quarante personnes
ayant eu dans le passé
une activité antinazie.
Une personnalité exceptionnelle se révéla :
un homme du nom de Freddy Hirsch.
C'était un Juif allemand,
qui avait émigré à Prague.
Il montrait un intérêt considérable
pour l'éducation des enfants qui se trouvaient là.
Il connaissait le nom de chacun,
et par sa droiture
et son éclatante dignité,
il devint en quelque sorte le chef spirituel du camp des familles.
Mais le 7 mars approchait.
Et nous guettions les signes avant-coureurs
de ce qui était supposé arriver.
Dont nous n'étions pas certains.

Filip Müller.

Fin février,
je me trouvais avec une équipe de nuit au
crématoire V.
Vers minuit arriva
l'Oberscharführer Hustek,
de la section politique,
qui remit un pli à l'Oberscharführer Voss.
L'Oberscharführer Voss était alors
le chef des quatre crématoires.
J'ai vu Voss ouvrir le pli
et commencer à parler tout seul :
« Oui, oui, toujours Voss.
Que ferait-on sans Voss !
Comment y arriver ? »
Il s'interpellait lui-même.
Soudain, il me dit :
« Va, fais venir les kapos ! »
J'ai appelé les kapos...
le kapo Schloime et le kapo Wacek.
Ils sont entrés et il leur a demandé :
« Combien de *pièces* encore ? »
Il voulait parler des cadavres.
« A peu près cinq cents pièces.
– D'ici demain les cinq cents pièces
doivent être en cendres. C'est bien cinq cents ?
– A peu près.
– Quoi ! Trous du cul !
Qu'est-ce que ça veut dire, *à peu près* ! »
Et il est parti,
pour se rendre compte de ses yeux,
vers le vestiaire où les cadavres étaient entassés,
car au crématoire V le vestiaire
servait aussi d'entrepôt à cadavres.

Après le gazage ?

Après les gazages on traînait les corps dans le vestiaire.
Voss y est allé, pour vérifier.
En oubliant le pli sur sa table.
J'ai profité de cet instant pour jeter un coup d'œil,
et ce que j'ai lu m'a bouleversé :
Il fallait que tout soit prêt au crématoire
pour le « traitement spécial » du camp des familles tchèques.

Et au matin, à l'arrivée de l'équipe de jour,
j'ai croisé le kapo Kaminski,
qui était un des plus importants chefs de la Résistance
au « commando spécial »,
et je lui ai appris la nouvelle.
Il m'a raconté
qu'au crématoire II
des préparatifs étaient en cours.
Que là-bas aussi les fours étaient prêts.
Et il m'a exhorté :
« Tu as des camarades, des compatriotes à toi [1].
Va les voir,
ils sont serruriers et peuvent se déplacer,
donc aller au camp BIIB.
Qu'ils avertissent ces gens
du sort qui les attend
et leur annoncent que s'ils se défendent,
nous réduirons les crématoires en cendres.
Et ils peuvent immédiatement, au camp BIIB,
mettre le feu à leurs baraques. »

Nous étions convaincus
qu'ils seraient gazés la nuit prochaine.

1. Filip Müller est lui-même un Juif tchèque.

Mais ne voyant partir aucune équipe de nuit,
nous fûmes soulagés.
L'échéance était repoussée...
pour quelques jours.
Mais de nombreux détenus,
et parmi eux des Tchèques du camp des familles,
nous reprochèrent d'avoir semé la panique,
d'avoir annoncé une fausse nouvelle.

Rudolf Vrba.

Vers la fin février [1944],
une rumeur fut répandue par les nazis :
les familles allaient être transférées en un lieu
appelé Heidebreck.
La première mesure consista
à séparer le premier transport du second,
en le déménageant, en une nuit
dans le camp de quarantaine BIIA,
mon camp.

Je pouvais donc désormais parler directement
avec ces gens.
J'eus un entretien avec Freddy Hirsch
et lui expliquai qu'une des raisons
du transfert de son transport
dans le camp de quarantaine
était peut-être
qu'ils allaient tous
être gazés le 7 mars.
Il me demanda si j'en étais certain.
Non, lui dis-je,
mais l'éventualité est très sérieuse,
car il n'y a aucun indice d'un transport
prêt à quitter Auschwitz.
Les bureaux où la Résistance
avait des gens à elle

en auraient été informés.
Or, une telle information n'existait pas.

Je lui exposai le caractère unique de la situation :
pour la première fois, voici dans le camp
des gens en relativement bonne condition
physique,
qui ont gardé une sorte de moral,
qui sont promis à la mort
selon le processus classique d'exécution.
Et ils vont le savoir.
On ne réussira pas à les abuser.
Et c'est peut-être le moment d'agir!
Et l'action bien sûr
devra partir d'eux,
car d'autres aussi sont en danger de mort
imminente :
les hommes du commando spécial du crématoire,
périodiquement liquidés.
Ceux-ci sont prêts,
si les Tchèques, avant le gazage, attaquent les SS,
à se joindre à eux.
Freddy Hirsch fit des objections.
Il était rationnel.
Selon lui, c'était un non-sens
qu'on les garde six mois, en donnant aux enfants
du lait et du pain blanc, pour les gazer à la fin.

Le lendemain, la Résistance me confirma
que le gazage était certain :
le commando spécial avait reçu le charbon
pour les brûler,
ils savaient exactement combien allaient être
gazés,
qui allait l'être...
C'était planifié!
Je repris contact avec Freddy

et lui expliquai qu'il n'y avait aucun doute :
son transport, lui inclus, serait gazé
dans les quarante-huit heures.

Alors, il commença à se tourmenter.
Il dit :
qu'arrivera-t-il aux enfants si nous nous
révoltons ?
Il leur était très attaché.

Combien d'enfants ?

Une centaine.

Et d'adultes aptes à se battre ?

Le noyau était d'une trentaine environ,
mais la prudence était désormais inutile
et alors, tout dépend...
L'heure venue,
même une vieille peut saisir une pierre.
Qui se battra, difficile à prévoir !
Mais il fallait un noyau
et une personnalité de chef aussi,
ces petits détails ont leur importance.

Il me dit donc :
« Si nous nous révoltons,
qu'arrivera-t-il aux enfants ?
Qui prendra soin d'eux ? »
Je répondis :
« Une chose est sûre, il n'y a pas d'issue pour eux.
Ils mourront de toute façon.
C'est certain.
A cela nous ne pouvons rien.
Mais ceci par contre dépend de nous :
qui périra avec eux ?
Combien de SS mourront ?
Jusqu'où réussirons-nous à bloquer la
machinerie ?
Sans parler de la possibilité pour quelques-uns

de s'évader au cours du combat,
de tenter une percée,
car, une fois la révolte déclenchée,
des armes peuvent changer de mains. »
Et j'expliquai à Freddy
qu'il n'y a pas une chance,
pour lui ou pour tout autre de son transport,
pour autant que nous le sachions,
de survivre au-delà de quarante-huit heures.

Cela se passait où ?

Dans ma chambre, au bloc.
Je lui dis aussi qu'un chef était indispensable
et qu'il avait été choisi.
Il me répondit qu'il comprend la situation,
qu'il lui est impossible de décider
à cause des enfants :
il ne voit pas comment
il peut ainsi les abandonner à leur sort.
C'était leur « père ».
Il n'avait que trente ans.
Mais sa relation avec les enfants était très
profonde.

Bien sûr, il comprend la logique de mon
raisonnement
et il aimerait y réfléchir pendant une heure.
Puis-je le laisser seul une heure ?
Ayant alors, de par ma fonction, une pièce à moi,
je le laissai dans ma chambre
dans laquelle il y avait une table, une chaise, un
lit et de quoi écrire.

Une heure plus tard, à mon retour, je le trouvai
allongé sur mon lit,
à l'agonie.
Son visage était cyanosé,
sa bouche blanche d'écume.

Je compris qu'il s'était empoisonné.
Mais il n'était pas mort.
Je connaissais un certain docteur Kleinmann.
C'était un Juif français d'origine polonaise,
très compétent.
Je le fis venir immédiatement
et le priai de faire le maximum
pour Hirsch.
Car c'est un homme important.
Kleinmann conclut à un empoisonnement
par une forte dose de barbituriques.
Peut-être parviendrait-on à le sauver,
mais il ne sera pas sur pied avant longtemps.
Et puisqu'il doit être gazé d'ici quarante-huit heures,
il – Kleinmann – juge préférable de laisser les choses en l'état
et de ne rien faire.

Après le suicide de Freddy Hirsch,
tout alla très vite.
J'avertis d'abord les autres comme j'avais averti Hirsch.
J'allai ensuite au camp IID
pour établir le contact avec les leaders de la Résistance.
Ils me donnèrent du pain pour les Juifs tchèques !
Et des oignons !
Ils me dirent
qu'aucune décision n'avait été prise,
de revenir plus tard...
A l'instant où je distribuais le pain,
un couvre-feu brutal fut imposé dans le camp :
arrêt des activités administratives,
doublement des gardes, la quarantaine
cernée de mitrailleuses.
Je perdis le contact.

Le transport fut gazé le soir même.
On les chargea sur des camions.
Tous savaient.
Ils se tinrent très bien.
Un doute pourtant...
jusqu'à la fin...
Car une fois encore,
les SS avaient assuré : « Heydebreck ! »
S'ils quittaient le camp,
les camions devaient prendre à droite,
s'ils viraient à gauche, un seul but,
cinq cents mètres :
le crématoire !

Filip Müller.

Cette nuit-là, je me trouvais au crématoire 2.
A peine les gens étaient-ils descendus des camions
qu'ils furent aveuglés par des projecteurs
et durent, par un corridor, gagner l'escalier
qui débouchait dans le vestiaire.
Aveuglés, à la course.
Ils étaient roués de coups.
Qui ne courait pas assez vite était battu à mort par les SS.
C'est une violence inouïe qui fut déployée contre eux.
Et tout à coup...

Sans un mot, sans une explication ?

Rien.
Dès leur descente des camions,
les coups commencèrent à pleuvoir.
A leur entrée dans le vestiaire,
je me tenais près de la porte du fond,
et posté là,
j'ai été le témoin de l'effroyable scène.
Ils étaient en sang,

ils savaient désormais où ils se trouvaient.
Ils fixaient les piliers du soi-disant
« Centre International d'Information »,
dont j'ai déjà parlé
et cela les terrorisait.
Ce qu'ils lisaient ne les rassurait pas,
mais au contraire les plongeait dans l'effroi
car ils n'ignoraient rien :
ils avaient appris au camp BIIB ce qui se passait là.
Ils étaient désespérés, les enfants s'embrassaient,
les mères,
les parents,
les plus âgés pleuraient.
A bout de malheur.
Tout à coup apparurent
sur les marches
quelques gradés SS,
parmi eux le chef du camp,
Schwarzhuber,
qui leur avait auparavant donné sa parole
d'officier SS qu'ils seraient
transférés à Heydebreck.
Tous se sont mis alors à crier, à implorer :
« Heydebreck était une duperie !
On nous a menti !
Nous voulons vivre !
Nous voulons travailler ! »
Ils fixaient droit dans les yeux les bourreaux SS.
Mais ceux-ci demeuraient impassibles,
se contentant de regarder.
Il y eut soudain un mouvement dans la foule,
sans doute voulaient-ils se ruer vers les sbires
et leur signifier à quel point ceux-ci les avaient
trompés.
Mais des gardes ont alors surgi,
armés de gourdins,
et d'autres encore furent blessés.

Dans le vestiaire ?

Oui.
La violence culmina
quand ils voulurent les forcer à se dévêtir.
Quelques-uns obéirent,
une poignée seulement.
La plupart refusèrent d'exécuter cet ordre.
Et soudain, ce fut comme un chœur.
Un chœur...
Ils commencèrent tous à chanter.
Le chant emplit le vestiaire entier,
l'hymne national tchèque,
puis la *Hatikva* retentirent.
Cela m'a terriblement ému, ce... ce.

Arrêtez, je vous en prie !
C'est à mes compatriotes que cela arrivait...
et j'ai réalisé
que ma vie n'avait plus aucune valeur.
A quoi bon vivre ?
Pour quoi ?
Alors je suis entré avec eux
dans la chambre à gaz,
et j'ai résolu de mourir.
Avec eux.
Soudain sont venus à moi certains
qui m'avaient reconnu.
Car plusieurs fois avec mes amis serruriers
je m'étais rendu au camp des familles.
Un petit groupe de femmes s'est approché.
Elles m'ont regardé
et m'ont dit :
« Déjà dans la chambre à gaz ? »

Tu étais déjà dedans ?

Oui. L'une d'elles me dit :
« Tu veux donc mourir.
Mais ça n'a aucun sens.
Ta mort ne nous rendra pas la vie.

Ce n'est pas un acte.
Tu dois sortir d'ici,
tu dois témoigner de notre souffrance,
et de l'injustice
qui nous a été faite. »

Rudolf Vrba.

Telle fut la fin du premier transport.
Il m'était clair dès lors
que la Résistance n'a pas pour but la révolte,
mais la survie.
La survie des membres de la Résistance.
Je pris donc un parti,
qualifié par eux d'anarchique et individualiste :
m'évader,
quitter la communauté dont j'étais coresponsable
à cette époque.
Cette décision,
contraire à la politique de la Résistance,
fut arrêtée immédiatement.
Et je forçai,
avec mon ami Wetzler,
les préparatifs.
Wetzler jouait dans notre évasion un rôle clef.
Avant de partir,
je m'entretins avec Hugo Lenek.
Il était responsable du noyau de résistance
du deuxième transport des familles.
Je lui expliquai qu'il n'a rien à attendre de la
Centrale de la Résistance,
rien sauf du pain.
L'heure venue,
ils ne devront compter que sur eux-mêmes.
Quant à moi,
je pensais que si je réussissais à m'évader
et à transmettre la vérité

en haut lieu et à temps,
cela pourrait être utile.
Je parviendrais peut-être à apporter de l'aide du dehors.

Car j'étais convaincu qu'Auschwitz était possible
soit parce que les victimes qui arrivaient là
ignoraient ce qui s'y passait,
soit, si quelqu'un au-dehors savait...
disons...
... ils ne savaient pas...
c'est ça !

Selon moi, si on faisait connaître la vérité,
en Europe et surtout en Hongrie
d'où était prévu le transport à Auschwitz d'un million de Juifs,
dès mai – et j'étais au courant –,
la Résistance à l'extérieur
se mobiliserait pour secourir Auschwitz.
Ainsi, nos plans d'évasion furent élaborés.
Mon évasion eut lieu le 7 avril [1944].

Ce fut donc le motif essentiel de votre évasion ?

Oui, le motif d'une action immédiate.
Autrement dit, ne plus perdre un instant,
fuir au plus tôt,
pour avertir le monde.

De ce qui se passait...

Oui.

A Auschwitz ?

Oui.

Jan Karski, professeur d'université (Etats-Unis), ancien courrier du gouvernement polonais en exil.

Maintenant... je retourne
trente-cinq ans en arrière...
Non, je ne retourne pas... non... non...

Je suis prêt...

Au milieu de l'année 1942,
je décidai de reprendre ma mission d'agent
entre la Résistance polonaise
et le gouvernement polonais en exil, à Londres.
Les leaders juifs à Varsovie en furent avertis.
Une rencontre fut organisée, hors du ghetto.
Ils étaient deux.
Ils n'habitaient pas le ghetto.
Chacun se présenta :
responsable du Bund,
responsable sioniste.

Maintenant, comment vous raconter ?
Que fut notre conversation ?

Premièrement, je n'y étais pas préparé.
J'étais relativement isolé par mon travail en Pologne.
J'étais peu informé.
Trente-cinq ans ont passé depuis la guerre.
Je ne reviens pas en arrière.
Pendant vingt-six ans, j'ai été professeur,
je n'ai jamais parlé du problème juif à mes étudiants.
Je comprends ce film.
C'est un témoignage pour l'Histoire, je vais donc essayer...
Ils me décrivirent ce qui arrivait aux Juifs.
Etais-je au courant ?
Non, je ne l'étais pas.
Ils m'expliquèrent :
premièrement, que le problème juif est sans précédent
et ne peut être comparé au problème polonais,
au problème russe, à aucun autre.
Hitler perdra cette guerre
mais il va exterminer le peuple juif tout entier !
Comprenez-vous ?
Les Alliés combattent pour leurs peuples.
Pour l'Humanité.
Les Alliés n'ont pas le droit d'oublier
que les Juifs vont être totalement exterminés en Pologne.
Les Juifs polonais
et les Juifs de toute l'Europe.
Ils se brisaient.
Ils arpentaient la pièce, ils chuchotaient,
ils se parlaient à voix basse.
C'était un cauchemar pour moi.

Sentait-on un complet désespoir ?

Oui.
A plusieurs reprises, au cours de la conversation,
ils ne se maîtrisèrent plus.

Je restais immobile sur ma chaise,
j'écoutais, c'est tout.
Je ne réagissais pas,
je n'interrogeais pas.
J'écoutais seulement.

Ils voulaient vous convaincre ?

Ils avaient, je crois,
perçu d'emblée mon ignorance
et ma méconnaissance de la question.
Après que j'eus accepté d'emporter leurs
messages,
ils entreprirent de m'informer sur leur situation.
Je n'avais jamais été dans un ghetto !
Je ne m'étais jamais occupé d'affaires juives !

Saviez-vous que la plupart des Juifs de Varsovie avaient déjà été tués ?

Je savais,
mais je n'avais rien vu.
Aucun récit ne m'avait été fait.
Je n'avais jamais été *là-bas*...
Les statistiques, c'est une chose...
Des centaines de milliers de Polonais aussi
avaient été tués, de Russes, de Serbes, de Grecs,
nous savions cela.
C'était statistique !

Mais insistaient-ils sur le caractère absolument unique ?

Oui.
C'était leur problème : me persuader,
et telle était ma mission,
persuader tous ceux que j'allais rencontrer
que la situation juive n'a pas de précédent dans
l'Histoire.
Les pharaons égyptiens ne l'avaient pas fait.
Les Babyloniens ne l'avaient pas fait.
Maintenant, pour la première fois dans
l'Histoire...
et ils en viennent à cette conclusion :

si les Alliés ne prennent pas des mesures sans précédent,
indépendantes de la stratégie militaire,
les Juifs seront totalement exterminés.
Et ils ne peuvent l'accepter.

Ils demandaient donc des mesures exceptionnelles ?

Oui, à tour de rôle,
tantôt c'était le leader du Bund,
tantôt le sioniste...
Donc qu'attendent-ils ?
Quels messages dois-je emporter ?
Alors ils me délivrèrent leurs messages.
Différents messages.
Pour les gouvernements alliés d'abord.
Je devrais approcher autant de responsables politiques que je pourrais.
Pour le gouvernement polonais.
Pour le président de la République polonaise.
Pour les responsables juifs du monde entier.
Pour de grandes personnalités
politiques et intellectuelles.
« Approchez le plus de gens possible. »
Et ils entrèrent dans les détails :
quels messages et à qui ?
J'eus avec eux deux rencontres de cauchemar.
Un cauchemar !
Enfin, ils me présentèrent leurs requêtes.
Toute une liste.

Le message :
On ne peut pas permettre à Hitler de poursuivre l'extermination
Chaque jour compte.
Les Alliés n'ont pas le droit de considérer cette guerre
du seul point de vue de la stratégie militaire.

Ils vont gagner la guerre, en agissant ainsi.
Mais pour nous, à quoi bon la victoire ?
Nous ne survivrons pas à cette guerre !
Les gouvernements alliés ne peuvent s'en tenir là.
Nous avons contribué à l'Humanité,
donné des savants au long des siècles.
Nous sommes à la source de grandes religions.
Nous sommes humains.
Comprenez-vous ?
Comprenez-vous ?
Ce qui arrive à notre peuple
est sans exemple dans l'Histoire.
Peut-être ébranlera-t-on la conscience du monde ?
Bien sûr, nous n'avons pas de pays.
Pas de gouvernement.
Aucune voix dans les conseils des Nations.
C'est pourquoi nous avons recours à des gens
comme vous.
Allez-vous le faire ?
Remplirez-vous votre mission ?
Approchez les chefs alliés.
Nous voulons une déclaration officielle
des nations alliées
stipulant qu'au-delà de leur stratégie militaire
qui vise à assurer la victoire,
l'extermination des Juifs
forme un chapitre à part.

Que les nations alliées annoncent sans détour,
publiquement,
que ce problème est leur,
qu'elles l'intègrent
à leur stratégie globale dans cette guerre.
Pas seulement vaincre l'Allemagne,
mais aussi sauver ce qui reste du peuple juif.
Cette déclaration publiée,
les Alliés ont une aviation,

ils bombardent l'Allemagne,
pourquoi ne lanceraient-ils pas
des millions de tracts qui apprennent
aux Allemands
ce que leur gouvernement fait aux Juifs ?
Peut-être ne savent-ils pas !
Et alors, qu'ils proclament, encore une fois
officiellement :
si la nation allemande ne montre pas
qu'elle tente de changer la politique de son
gouvernement,
elle sera tenue pour responsable des crimes
commis.
En l'absence de tels signes,
les Alliés avertiront
que certains objectifs en Allemagne
seront bombardés, détruits,
en représailles des crimes
perpétrés contre les Juifs.

Que ces bombardements n'ont rien à voir
avec la stratégie militaire,
mais concernent le seul problème juif.

Qu'on fasse savoir aux Allemands,
avant et après ces bombardements,
qu'ils ont eu lieu et auront lieu
parce que les Juifs sont exterminés en Pologne.

Cela aidera...
peut-être !
Ils peuvent le faire.
Oui, ils le peuvent !

C'était ma première mission.

La seconde :
tous deux,
le leader sioniste surtout, à nouveau
chuchotaient,
ils murmuraient :
« Quelque chose va arriver.
Les Juifs, dans le ghetto de Varsovie, en parlent,
particulièrement les jeunes.
Ils veulent combattre.
Ils parlent d'une déclaration de guerre contre le
Troisième Reich.
Une guerre unique dans l'Histoire.
Jamais pareille guerre n'a existé.
Ils veulent mourir les armes à la main.
Nous ne pouvons pas leur refuser cette mort. »
J'ignorais alors qu'une organisation juive de
combat s'était créée.
Ils ne m'en dirent rien.
Seulement :
« Quelque chose va se passer.
Les Juifs vont se battre.
Il leur faut des armes.
Nous avons contacté le chef de l'" Armée de
l'Intérieur ",
la Résistance clandestine polonaise.
Notre demande a été repoussée.
On ne peut pas leur refuser des armes
si elles existent
et nous savons que vous en avez ! »
Ce message pour le commandant en chef,
le général Sikorsky,
afin qu'il ordonne que des armes soient données
aux Juifs.

Ma troisième mission :
« Il y a dans le monde des leaders juifs.

Prenez contact avec eux.
Dites-leur ceci :
Ils sont des leaders juifs.
Leur peuple se meurt.
Il n'y aura plus de Juifs.
Alors, à quoi bon des leaders !

Nous deux allons mourir aussi.
Nous ne cherchons pas à fuir, nous restons ici.

Que les autres fassent le siège des ministères
à Londres ou ailleurs,
qu'ils exigent des actes.
Si rien n'est fait,
qu'ils manifestent dans les rues,
qu'ils se laissent mourir de faim,
de soif.
Qu'ils meurent.
Au vu et au su de toute l'Humanité !
Qui sait ?
Cela ébranlera peut-être la conscience du monde !

Entre ces deux leaders juifs,
et cela tient aux affinités,
je me sentais plus proche du bundiste.
A cause de son allure, sans doute.
Il ressemblait à un aristocrate polonais,
un seigneur.
Droiture, noblesse des gestes, dignité.
Il m'aimait bien aussi, je crois.
Soudain, à un certain moment, c'est lui qui eut l'idée :
« Monsieur Vitold, je connais l'Ouest.
Vous allez négocier avec les Anglais,

leur faire un rapport oral.
Je suis certain que vous serez plus convaincant
si vous êtes à même de leur dire :
“ Je l’ai vu de mes yeux. ”
Nous pouvons organiser pour vous une visite au ghetto.
Acceptez-vous ?
Si vous acceptez, je vous accompagnerai.
Ainsi, je veillerai moi-même à votre sûreté. »

Quelques jours plus tard, nous reprîmes contact.
A cette époque, le ghetto de Varsovie
n’avait plus les limites qui étaient les siennes
jusqu’en juillet 1942.
Sur approximativement quatre cent mille Juifs,
trois cent mille environ avaient déjà été déportés.
A l’intérieur du mur d’enceinte,
on distinguait quatre unités.
La plus importante était le « ghetto central ».
Elles étaient séparées par des zones,
certaines déjà habitées par les Aryens,
d’autres, dépeuplées.

Il y avait un immeuble...
L’arrière était partie intégrante du mur
d’enceinte du ghetto.
Sa façade se trouvait donc du côté aryen.
Sous le bâtiment, un tunnel :
nous passâmes sans la moindre difficulté.
Mais soudain un autre homme !
Le leader du Bund,
l’aristocrate polonais.
Je suis à ses côtés :
il est brisé,
courbé comme un Juif du ghetto,
comme si, toujours, il avait vécu là.

Apparemment, c'était sa nature,
c'était son monde.

Nous allâmes par les rues.
Il était à ma gauche.
Nous ne parlions pas beaucoup...

Bon, alors ? Vous voulez que je raconte ?

Bien.
Des corps nus dans la rue !
Je l'interroge : « Pourquoi sont-ils ici ? »

Des cadavres ?

Des cadavres.
Il me dit :
« Ils ont un problème :
quand un Juif meurt
et si la famille veut une sépulture,
elle doit payer une taxe.
Alors on jette les morts dans la rue. »

Ils ne peuvent payer ?

Non, ils n'ont pas les moyens.
Et il me dit :
« Le moindre haillon compte.
Donc, ils gardent les vêtements.
Et une fois le corps, le cadavre, à la rue,
c'est le Conseil juif qui s'en charge. »

Des femmes avec leurs bébés,
elles les allaitent en public,
mais elles n'ont pas...
pas de seins...
c'est plat.
Ces bébés aux yeux fous, qui vous regardent.

C'était un absolu autre monde?
Un autre monde?

Ce n'était pas un monde.
Ce n'était pas l'Humanité!

Les rues pleines. Pleines.
Comme s'ils vivaient tous dehors.
Ils troquent leurs maigres richesses.
Chacun veut vendre ce qu'il a.
Trois oignons, deux oignons.
Quelques biscuits.
Chacun vend.
Chacun mendie.
Les pleurs.
La faim.
Ces horribles enfants.
Des enfants qui courent,
tout seuls,
d'autres auprès de leurs mères,
assis.
Ce n'était pas l'Humanité.
C'était une sorte...
une sorte...
d'enfer.
Maintenant,
dans cette partie du ghetto,
dans le ghetto central,
passaient des officiers allemands.
Leur service terminé, les officiers de la Gestapo
coupaient à travers le ghetto.
Alors, les Allemands en uniforme,
ils s'avancent...
Silence!
Tous, figés de peur à leur passage.
Plus un mouvement, plus un mot.
Rien.

Les Allemands : mépris !
A l'évidence, les voilà ces sales sous-hommes !
Ce ne sont pas des êtres humains.

Soudain, la panique.
Les Juifs s'enfuient de la rue où je me trouve.
Nous bondissons dans une maison.
Il murmure : « La porte ! Ouvrez la porte !
Ouvrez ! »
On ouvre.
Nous entrons.
Ruée vers les fenêtres qui donnent sur la rue !
Retour à la porte où se tient une femme qui nous a ouvert.
Il lui dit :
« N'aie pas peur, nous sommes juifs ! »
Il me pousse vers la fenêtre :
« Regardez, regardez ! »
Il y avait deux garçons.
Agréables visages, jeunesses hitlériennes, en uniforme.
Ils marchaient.
A chacun de leurs pas, les Juifs disparaissent, fuient.
Ils bavardaient.
Tout à coup, l'un d'eux porte la main à sa poche, sans réfléchir.
Coups de feu !
Bruit de verre brisé.
Hurlements.
L'autre le congratule.
Ils repartent.

J'étais pétrifié.
Alors la femme juive

– sans doute avait-elle compris que je ne suis pas juif –
m'étreignit :
« Partez, partez, ce n'est pas pour vous.
Partez. »
Nous quittâmes la maison
Nous quittâmes le ghetto.
Il me dit : « Vous n'avez pas tout vu...
Voulez-vous revenir ? J'irai avec vous.
Je veux que vous voyiez tout.
– Je le ferai. »

Le jour suivant, nous retournâmes.
Même immeuble, même chemin.
Cette fois, j'étais moins sous le choc.
Alors, je fus sensible à d'autres choses :
la puanteur... la saleté... la puanteur.
Partout on suffoquait.
Rues crasseuses.
Agitation. Tension.
Folie.
C'était place Muranowski.
Dans un coin de la place, des enfants jouent.
Avec des chiffons.
Ils se lancent des chiffons.
Il me dit :
« Ils jouent, vous voyez.
La vie continue,
la vie continue. »
Je lui répondis :
« Ils font semblant de jouer.
Ils ne jouent pas. »

Il y avait des arbres.

Quelques arbres, rachitiques.
Bon.
Nous avons marché.
Seulement.

Sans parler à personne.
Nous avons marché une heure environ.
De temps en temps il m'arrêtait :
« Regardez ce Juif! »
Un Juif debout, immobile.
Je demandai : « Est-il mort? »
Lui : « Non, non, il est vivant.
Monsieur Vitold, rappelez-vous!
Il est en train de mourir.
Il est mourant.
Regardez-le!
Dites-leur là-bas!
Vous avez vu.
N'oubliez pas! »
Nous marchons.
Macabre!
De temps en temps, il murmurait :
« Rappelez-vous cela, rappelez-vous cela. »
Ou alors, il me disait :
« Regardez là! » Une femme!
De nombreuses fois, je lui demandai :
« Que leur arrive-t-il? »
Sa réponse : « Ils meurent. »
Et toujours : « Souvenez-vous, souvenez-vous. »

Nous sommes restés une heure peut-être.
Et nous sommes repartis.
Je n'en pouvais plus.
« Sortez-moi d'ici. »
Je ne l'ai jamais revu.
J'étais malade.
Je ne...
Même maintenant, je ne veux pas...
Je comprends ce que vous faites. Je suis ici.
Je ne retourne pas à mes souvenirs.
Je n'en pouvais plus...

Mais j'ai fait mon rapport :
j'ai dit ce que j'avais vu !

Ce n'était pas un monde.
Ce n'était pas l'Humanité.
Je n'en étais pas.
Je n'appartenais pas à cela.
Je n'avais jamais rien vu de tel.
Personne n'avait écrit sur une pareille réalité.
Je n'avais vu aucune pièce, aucun film !
Ce n'était pas le monde.
On me disait qu'ils étaient des êtres humains.
Mais ils ne ressemblaient pas à des êtres humains.
Et nous sommes partis.
Il m'étreignit.
« Bonne chance.
– Bonne chance. »
Je ne l'ai jamais revu.

Docteur Franz Grassler (Allemagne),
adjoint du docteur Auerswald,
le commissaire nazi du ghetto de Varsovie.

Vous n'avez pas de souvenirs de ce temps-là ?

Très peu.
Je me souviens mieux de mes excursions en montagne, avant-guerre,
que de toute la période de la guerre, à Varsovie.
Car... tout compte fait, c'était une triste époque.
C'est une règle : l'homme – Dieu merci – oublie
plus facilement les mauvais moments
que les bons...
Les sales moments, il les refoule.

Je vais vous aider à vous souvenir.
Vous étiez, à Varsovie,
l'adjoint du docteur Auerswald.
Oui.
Le docteur Auerswald était...
Commissaire du « district juif » de Varsovie.
Docteur Grassler, voici le journal de Czerniakow[1].
Il y parle de vous.
Ah!... c'est imprimé... ça existe?
Il a tenu un journal qui a été publié tout récemment.
Il écrit, et c'est le 7 juillet 1941...
Le 7 juillet 1941? C'est la première fois que je réapprends une date...
Puis-je prendre des notes?
Après tout, cela m'intéresse aussi...
Donc, en juillet, j'étais déjà là-bas!
Oui, et il écrit : 7 juillet 1941,
« le matin à la Communauté »,
c'est-à-dire au siège du Conseil juif
« ... et plus tard avec Auerswald, Schlosser... »
Schlosser était...
« ... et Grassler. Affaires courantes ».
C'est la première fois que vous...
Que mon nom est mentionné?
Oui, mais vous voyez, on était là à trois...
Schlosser était... Voyons... « département économique ».
Dans mon souvenir, ce nom est lié à l'économie.
Et la deuxième fois, c'est le 22 juillet.
Il a écrit chaque jour?
Oui, chaque jour.
C'est très étonnant...
Que cela ait été sauvé!
Etonnant, que cela ait été sauvé!

1. Adam Czerniakow était le Président du « Judenrat » (Conseil juif) de Varsovie.

Raul Hilberg.

Adam Czerniakow
commença à tenir un journal la première semaine de la guerre
avant l'entrée des Allemands à Varsovie
et avant même de devenir le responsable de la communauté juive.
Et il continua, écrivant quotidiennement,
jusqu'à l'après-midi du jour où il se suicida.
Il nous a laissé
une fenêtre par laquelle nous pouvons observer
une communauté juive au terme de son existence.
Communauté à l'agonie, condamnée en vérité dès le début.

Et, par là, Adam Czerniakow a accompli
quelque chose de très important.
Il n'a pas sauvé les siens.
Pas plus que les autres chefs juifs.
Mais il nous a fait le récit de ce qui leur est arrivé, jour après jour.
Et il l'a fait malgré un travail incessant.
Car c'était un homme qui ne connaissait ni trêve ni repos.

Chaque jour ou presque, il écrivit :
sur le temps qu'il fait,
sur ses rendez-vous matinaux,
sur tout.
Mais il n'omit jamais d'écrire.
Quelque chose en lui le porta, le poussa,
l'astreignit au cours des années,
presque trois ans de sa vie
sous la loi allemande.

Et ainsi, peut-être parce que son style était si dépourvu d'emphase,
nous savons aujourd'hui comment il a vécu les choses, comment il les a perçues, identifiées, comment il y a réagi.
Et même de ce qu'il tait,
nous déduisons ce qui s'est passé.

Il y a dans le journal de continuelles allusions à la fin.
Féru de mythologie grecque,
il se décrit portant une tunique empoisonnée comme Hercule.

Il sait en son tréfonds que les Juifs de Varsovie sont condamnés.

Et certains passages sont saisissants à cet égard :
sarcastiquement, si c'est le mot,
il note, en décembre 1941, que l'Intelligentsia se meurt !
Jusqu'alors, seuls les pauvres mouraient,
mais, désormais, c'est le tour de l'Intelligentsia...
Pourquoi distingue-t-il l'Intelligentsia ?
Parce qu'il y a, au ghetto, des seuils de sensibilité à la famine, variables selon les classes.
D'abord les pauvres, puis la classe moyenne.
Au sommet de celle-ci, l'Intelligentsia.
Quand elle meurt à son tour, cela va très très mal.
N'oubliez pas :
la ration moyenne était de 1 200 calories.

Autre exemple :
un homme l'approche et lui dit :

« Donnez-moi de l'argent, non pour manger,
mais pour le loyer,
pour payer mon loyer, car je ne veux pas mourir
dans la rue. »
Ceci, pour Czerniakow, mérite d'être rapporté.
Signe de dignité.
Il approuve.

Quelqu'un lui présenta une requête...
Une demande d'argent ?

Oui, mais pas pour du pain.
« Pour payer le loyer,
car je ne veux pas mourir dans la rue. »
C'était courant :
on les recouvrait de journaux.

Pourquoi le toit plus que le pain ?

Cet homme ne mangeait pas assez pour rester en
vie, mais il refusait de s'effondrer dans la rue.

Donc la mort était sûre,
il la voulait chez lui...

Absolument, voilà une des remarques
sardoniques
dont Czerniakow a le secret.
Il a toujours d'étranges descriptions :
une fanfare devant un salon funéraire,
un corbillard conduit par des cochers ivres,
un enfant mort qui court çà et là.
Il était sardonique à propos de la mort.
Il vivait avec la mort.

Docteur Franz Grassler.

Alliez-vous au ghetto ?

Oui, mais rarement. Quand je devais voir
Czerniakow.

Et comment était-ce ?
Les conditions de vie ?

Affreuses.

Oui, épouvantables.

Oui ?

Je n'ai plus mis les pieds au ghetto après avoir vu ce que c'était.
Sauf cas de force majeure;
c'est pourquoi je n'ai dû y aller qu'une ou deux fois en tout.
Nous, au Commissariat, nous cherchions à maintenir le ghetto, pour la main-d'œuvre,
mais surtout pour la lutte contre les épidémies, contre le typhus.
C'était le grand danger.

Oui.
Parlez-moi un peu du typhus...

Oh ! Je ne suis pas médecin,
je sais seulement que le typhus est une épidémie très dangereuse,
qui emporte les gens – pratiquement comme la peste –
et qu'on ne peut contenir dans un ghetto !
Si le typhus s'était déclaré
– en réalité, je ne crois pas, mais la peur existait –
il n'aurait épargné ni les Polonais, ni nous.

Mais pourquoi y avait-il le typhus au ghetto ?

Le typhus, je ne sais pas.
Le danger du typhus, oui.
Justement à cause de la faim.
Car les gens avaient trop peu à manger.
C'est ça qui était terrible...
... Nos services, au Commissariat,
faisaient de leur mieux pour nourrir le ghetto,
précisément pour qu'il ne devienne pas un foyer d'épidémies.
Hors de toute considération humanitaire, c'était ça l'important.
Car si le typhus s'était répandu,
– ça n'a jamais été le cas –
il ne se serait pas limité au ghetto.

Czerniakow écrit aussi
qu'une des raisons de l'édification du mur du
ghetto était bien cette peur allemande.

Oui, oui, c'est sûr! Peur du typhus.

Il dit que les Allemands ont toujours
identifié les Juifs au typhus.

Ça se peut, oui.
Je ne sais pas si c'était fondé...
Mais imaginez cette masse humaine entassée
dans le ghetto.
Car il n'y a pas eu que les Juifs de Varsovie,
mais ensuite les autres.
Le danger ne cessait de grandir.

Raul Hilberg.

Il y avait, au ghetto, une femme amoureuse.
Celui qu'elle aimait fut blessé, gravement,
ses organes s'échappaient.
Elle les replaça de ses propres mains,
le porta à l'hôpital.
Il mourut.
On le mit à la fosse commune,
elle l'exhuma, lui donna une sépulture.
Pour Czerniakow, ce simple épisode est le comble
de la vertu.

Il n'est jamais révolté?

Ce n'est pas son souci.
Il ne dit pas sa révolte.
Pas son dégoût, sauf de certains Juifs :
ceux qui désertèrent la communauté en émigrant
tôt,
ou d'autres qui, comme Ganzweich, collaborent.
Et pour les Allemands, il n'a pas un mot de
dégoût.

Il est au-delà...
Il ne critique pas les Allemands eux-mêmes.
Et rarement il rapporte
qu'il a discuté un de leurs décrets.
Il ne discute pas avec eux.
Il plaide, il intercède. Il ne discute pas.
Il discute quand il a non seulement à bâtir le mur, mais à le payer.
Si le mur, dit-il, est une mesure d'hygiène
qui protège Allemands et Polonais des épidémies juives,
alors pourquoi les Juifs devraient-ils payer ?
Aux immunisés de payer le vaccin.
Que les Allemands paient !
Et Auerswald réplique :
« Bel argument, vous le soutiendrez...
un jour dans une conférence internationale.
En attendant, payez ! »
Czerniakow rapporte tout cela,
y compris la réponse d'Auerswald.
Sa critique des Allemands ne va jamais plus loin.
Rien, venant d'eux, ne l'étonne.
Il pressent,
il anticipe tout ce qui arrive aux Juifs,
le pire inclus.

Docteur Franz Grassler.

Il y avait une politique allemande
pour le ghetto, à Varsovie.
Et quelle était cette politique ?

Là, vous m'en demandez trop.
La politique qui a finalement abouti à l'extermination,
à la « Solution finale », nous en ignorions tout, bien sûr.
Notre tâche était de maintenir le ghetto,

et de conserver les Juifs autant que possible
comme force de travail.
Le dessein du Commissariat était tout autre,
au bout du compte, que celui qui a plus tard
débouché sur l'extermination.

Mais savez-vous combien de gens mouraient,
chaque mois, au ghetto, en 1941 ?

Non.
Ou si je l'ai su, je l'ai oublié.

Mais vous le saviez : il y a des statistiques
précises.

Probablement, je l'ai su...

Oui. Cinq mille par mois.

Cinq mille par mois ? Oui. Eh bien...

C'est beaucoup.

C'est beaucoup, bien sûr. Mais il y avait beaucoup
de monde au ghetto !
Beaucoup trop, c'était le hic.

Beaucoup trop !

Beaucoup trop !

Ma question est une question philosophique.
Que signifie un ghetto à votre avis ?

Mon Dieu ! Des ghettos, il y en a eu dans
l'Histoire, pour autant que je sache,
depuis des siècles.
La persécution des Juifs n'est pas une invention
allemande
et ne date pas de la Seconde Guerre mondiale.
Les Polonais aussi les ont persécutés.

Mais un ghetto comme à Varsovie, dans
une grande capitale, au cœur de la ville...

C'était peu ordinaire.

Vous dites que vous vouliez maintenir
le ghetto.

Notre mission était non pas d'annihiler le ghetto,
mais de le garder en vie,

de le maintenir...

Mais que signifie « vie », dans de telles conditions ?...

C'était là le problème.
C'était là tout le problème...

Mais les gens mouraient dans les rues.
Il y avait des cadavres partout.

Justement... c'était le paradoxe !

Un paradoxe, vous croyez ?

J'en suis certain.

Mais pourquoi ? Pouvez-vous expliquer ?

Non.

Pourquoi non ?

Expliquer quoi ?

Ce n'était pas « maintenir » !
Ces Juifs étaient exterminés chaque jour dans le ghetto. Czerniakow écrit...

Pour vraiment le maintenir,
il eût fallu des rations plus substantielles
et pas cet entassement.

Mais pourquoi n'y avait-il pas des rations plus humaines ?
Pourquoi ?
C'était une décision allemande, non ?

Il n'y a pas eu vraiment décision d'affamer le ghetto :
la grande décision d'exterminer a été prise bien plus tard.

Oui, oui. Plus tard, en 1942.

Précisément, précisément.

Un an plus tard.

Justement. Notre mission à nous
– c'est le souvenir que j'en ai –
était de gérer le ghetto
et naturellement, avec ces rations insuffisantes et ce surpeuplement,
une mortalité élevée, et même excessive, n'était pas évitable.

Oui.
Mais que veut dire « maintenir » le ghetto
dans de telles conditions :
alimentation, hygiène, etc. ?
Que pouvaient faire les Juifs
contre de telles mesures ?
Les Juifs ne pouvaient rien faire.

Raul Hilberg.

Czerniakow avait vu un film avant la guerre :
le commandant d'un paquebot,
en train de couler,
ordonne à l'orchestre de jouer
un morceau de jazz
Dans son journal, le 8 juillet 1942,
pas même deux semaines avant sa mort,
il s'identifie au commandant de ce navire qui
sombre.
Mais lui, c'est un festival
pour enfants qu'il organise au ghetto.
Oui, tournois d'échecs, théâtre, fête enfantine,
tout existe jusqu'au dernier instant.
Mais ce sont des symboles !
Ces manifestations culturelles
ne servent pas seulement à affermir le moral,
comme Czerniakow veut le croire,
mais elles sont symboliques de la posture
constante du ghetto :
guérir ou essayer de guérir des malades
qui seront bientôt gazés,
tenter d'éduquer des jeunes
qui ne grandiront jamais,
donner du travail et créer des emplois
dans une situation de faillite.
Ils vont de l'avant,
comme si la vie allait continuer.

Ils ont une foi proclamée dans la survie
du ghetto,
même si tout leur prouve le contraire.
La stratégie, jusqu'à la fin, est celle-ci :
« Nous devons persévérer.
C'est la seule stratégie.
Nous devons minimiser les dégâts, les dommages,
les pertes,
nous devons continuer. »
La continuité est l'unique sauvegarde.

Mais quand il se compare
à ce commandant d'un navire qui sombre,
il sait que tout...

Il sait, oui.
Selon moi, il savait ou il pressentait la fin
dès octobre 1941 :
à cette date, il fait état de rumeurs alarmantes
quant au sort des Juifs de Varsovie au printemps.
Et aussi quand Bischoff, le SS chargé des
échanges,
lui dit que le ghetto n'est qu'une transition,
sans plus de précisions.
Il sait, il a des prémonitions
car en janvier, on parle de l'arrivée de
Lituaniens...
Il s'inquiète quand Auerswald disparaît pour
Berlin vers le 20 janvier 1942,
date, on le sait, de la conférence de la Solution
finale,
la conférence de Wansee.
Et même si lui, Czerniakow,
derrière son mur,
ignore tout,
il est tourmenté par le voyage d'Auerswald.
Il n'en sait pas le motif,
mais il en est sûr :
rien de bon n'en sortira.

En février, les rumeurs se multiplient,
en mars, elles se précisent :
il enregistre le départ des Juifs du ghetto de
Lublin, de Mielecz, de Cracovie et de Lwow.
Et il se dit que quelque chose se prépare
peut-être pour Varsovie même.
Et chaque page dès lors
est lourde d'angoisse.

Quand Czerniakow apprend, en mars 1942,
qu'on déporte les Juifs de Lublin, Lwow et
Cracovie – et nous savons maintenant
qu'ils partaient pour Belzec –,
se demande-t-il où ils sont emmenés,
et pourquoi ?

Non.
Jamais.
Il ne nomme aucun lieu.

Mais nous ne pouvons pas décider
qu'il ignorait ces camps.

Il n'en parle pas dans son journal.
C'est tout !

Et nous savons par ailleurs
que l'existence de camps de la mort est déjà
connue à Varsovie,
en juin en tout cas.

Docteur Franz Grassler.

Pourquoi Czerniakow s'est-il suicidé ?
Justement, parce qu'il a réalisé qu'il n'y avait plus
d'avenir pour le ghetto :

sans doute a-t-il compris – avant moi – que les Juifs allaient être tués.
Je suppose, comment dire...
que les Juifs avaient déjà leurs excellents services secrets.
Ils en savaient plus qu'ils n'auraient dû, plus que nous.

Vous croyez ?

Oui, je le crois.

Les Juifs en savaient plus que vous ?

J'en suis convaincu. Convaincu.

C'est difficile à accepter.

L'administration allemande n'a jamais été informée
de ce qui devait arriver aux Juifs.

A quelle date la première déportation pour Treblinka ?

Je crois avant le suicide d'Auerswald.

D'Auerswald ?

Non... de Czerniakow. Pardon.

Le 22 juillet.

C'étaient... ce sont des dates...
Donc le 22 juillet 1942,
début des déportations.

Oui.

Pour Treblinka.

Et Czerniakow s'est suicidé le 23.

Eh oui, c'est donc le lendemain.
Ainsi, c'est bien cela, il avait compris que son idée
– c'était son idée, je crois –
d'un travail honnête avec les Allemands,
afin d'agir au mieux pour les Juifs,
il avait compris que cette idée, ce rêve étaient détruits.

Que cette idée était un rêve.

Oui. Et quand le rêve s'est évanoui,
il a été jusqu'au bout.

Raul Hilberg.

Quand Czerniakow écrit-il
pour la dernière fois ?
Quelques heures avant son suicide.
Et que dit-il ?
« Il est 15 heures.
Quatre mille sont déjà prêts à partir.
Neuf mille doivent l'être à 16 heures. »
Ce sont les derniers mots d'un homme qui
mourra dans la soirée.
Le premier « transport » des Juifs de Varsovie
pour Treblinka a lieu le 22 juillet 1942,
et Czerniakow se tue le lendemain.
Exact. Le 22, donc, se présente le SS Höfle,
responsable du « transfert »,
chargé expressément de toute l'opération.
Höfle, le 22
– et ici, il faut noter au passage ce détail :
Czerniakow est si bouleversé qu'il se trompe de
date,
au lieu de 22 juillet 1942,
il écrit 22 juillet 1940 –,
Höfle donc pénètre dans son bureau à dix heures,
coupe le téléphone, fait évacuer les enfants qui
jouent en face du bâtiment du Judenrat,
et lui dit :
« Tous les Juifs sans distinction d'âge ni de sexe,
sauf quelques exemptés,
seront déportés à l'Est. »
Toujours l'Est !
« Dès aujourd'hui, seize heures, six mille doivent
être livrés.
Ce sera le minimum quotidien. »
On lui annonce cela le 22 juillet 1942.
Pourtant, il intercède encore,
il demande d'autres exemptions,

celles des membres du Conseil juif,
des organismes d'assistance,
mais son tourment est que les orphelins vont être déportés,
et sans trêve, il plaide pour eux.
Le 23, il n'a toujours pas la garantie qu'ils seront épargnés.

S'il ne peut plus être le protecteur de l'orphelinat,
alors il a perdu sa guerre,
il a perdu sa bataille.
Mais pourquoi les orphelins ?
Ils sont les plus faibles.
Ce sont les petits enfants...
C'est l'avenir.
Ils ne peuvent rien par eux-mêmes.
Si les orphelins ne sont pas exemptés,
s'il n'a même pas le « oui » d'un officier SS,
non pas la promesse dont il sait qu'elle est creuse,
si le mot même lui est refusé,
alors que conclure ?

S'il ne peut plus rien pour les enfants...

On raconte
qu'après avoir refermé son journal,
il a laissé une ultime note :
« Ils veulent que je tue les enfants de mes propres mains. »

Vous croyiez alors que le ghetto était quelque chose de positif, une sorte d'autogestion, non ?

Oui, autogestion.

Un mini-Etat ?

Elle a bien fonctionné, l'autogestion juive !

Mais c'était une autogestion pour la Mort, non ?

Oui. On le sait aujourd'hui.
Mais à l'époque...

A l'époque aussi !

Non.

Czerniakow l'écrit :
« Nous sommes des marionnettes, nous n'avons aucun pouvoir. »

Oui.

« Aucune puissance. »

Sûr, sûr... c'était...

Vous étiez les seigneurs, vous les Allemands.

Oui.

Les seigneurs, les maîtres.

Evidemment.

Et Czerniakow n'était qu'un outil...

Un outil, oui. Mais un bon outil.
L'autogestion juive a bien fonctionné, ça je le sais, croyez-moi.

Bien fonctionné pendant trois ans...
1940, 1941, 1942... deux ans et demi, et à la fin...

A la fin...

« Bien fonctionné » pour quoi ? Dans quel but ?

Mais pour l'autoconservation... !

Non, pour la Mort !

Oui... mais...

Autogestion, autoconservation... pour la mort !

C'est facile à dire aujourd'hui !

Mais vous avez admis que les conditions
étaient inhumaines.
Atroces... horribles...

Oui, oui.

Donc, tout était déjà clair.

Non. Pas l'extermination...
Aujourd'hui, c'est clair !

L'extermination, ce n'est pas si simple,
il y a eu une mesure,
puis une autre et une autre et une autre...

Oui.

Mais pour comprendre ce processus, il faut...

L'extermination, je répète, n'a pas eu lieu au ghetto même –
du moins au début –,
elle date des transports.

Quels transports ?

Les transports pour Treblinka.

On aurait pu anéantir le ghetto avec des armes ou Dieu sait quoi.
Comme on a fini par le faire. Après la révolte.
Quand je n'y étais plus...
Mais, au début...
M. Lanzmann, ça ne nous mène à rien.
Nous ne trouvons rien de neuf !

Je crois, en effet, qu'on ne peut pas innover...

Ce que je sais aujourd'hui, je ne le savais pas alors.

Vous étiez le second du commissaire
du « district juif » de Varsovie...

Mais si !

Vous étiez important.

Vous surestimez mon rôle.

Non.
Vous étiez le second du commissaire
du « district juif » de Varsovie...

Mais... sans pouvoir !

Ce n'est pas rien !
Vous étiez une partie de cet immense pouvoir allemand.

Exact. Mais une petite partie !
Vous surestimez l'autorité d'un adjoint,
de vingt-huit ans à l'époque.

Trente ans.

Vingt-huit

Trente ans, c'est la maturité.

Oui. Mais pour un juriste qui a été diplômé à vingt-sept ans, ce n'est qu'un début.

Vous étiez « Docteur ».

Le titre ne prouve rien.

Auerswald aussi était docteur ?

Non. Mais le titre ne fait rien à l'affaire.

Docteur en droit... Et après la guerre, qu'avez-vous fait ?

J'étais dans une maison d'édition alpine.

Ah ! oui ?

Oui, oui. J'ai écrit et publié des guides de montagne.
J'ai édité une revue alpine.

C'est votre sport favori, la montagne ?

Oui, oui.

La montagne, l'air et...

Oui.

... Le soleil, l'air pur...

Pas l'air du ghetto.

New York.
Mme Gertrude Schneider et sa mère, survivantes du ghetto.

Die Wörter, die welche ich schreib zu dir,
seinen nit mit Tint, nur mit Treren,
Jahren, die beste, geendigt sich,
und schoin verfallen nit zu werden.
Schwer ist's, zu verrichten, was ist zerstört,

und schwer ist's, zu verbinden unsere Liebe,
ah, schau, die Treren deine,
die Schuld, sie ist nit meine,
weil azoi muss sein.
Azoi muss sein, azoi muss sein,
mir müssen beide sich zerscheiden,
azoi muss sein, azoi muss sein,
die Liebe, die endigt sich von beiden.
Zu gedenkst du, wenn ich hab dich
gelassen im Weg,
mein Goirel hat gesagt, ich muss von dir aweg,
weil in den Weg will ich schon keinmal mehr nit
steren
weil azoi muss sein.

Musée du Kibboutz Lohame Haghettaot
(kibboutz des combattants du ghetto), Israël.

Au ghetto de Varsovie, l'Organisation Juive
de Combat fut officiellement constituée
le 28 juillet 1942.
Après la première déportation de masse pour
Treblinka, interrompue le 30 septembre,
demeuraient au ghetto environ 60 000 Juifs.
Le 18 janvier 1943, les déportations reprirent.
Malgré le manque cruel d'armes, les membres de
l'O.J.C. appelèrent à la résistance
et engagèrent le combat à la surprise totale
des Allemands. Celui-ci dura 3 jours.
Les nazis se retirèrent avec des pertes,
abandonnant sur le terrain des armes
dont les Juifs s'emparèrent.
Les déportations furent arrêtées.
Les Allemands savaient désormais
qu'ils ne pourraient réduire le ghetto
qu'en livrant bataille. Celle-ci fut déclenchée
dans la soirée du 19 avril 1943,
la veille de la Pâque juive (Pessah).
Ce devait être une bataille d'anéantissement.

Itzhak Zuckermann, dit « Antek »,
commandant en second de l'Organisation
Juive de Combat.

J'ai commencé à boire après la guerre.
C'était très difficile...
Claude, vous avez demandé quelle était mon impression.
Si vous pouviez lécher mon cœur, vous seriez empoisonné.

A la prière de Mordechaï Anielewicz,
Commandant en chef de l'O.J.C.,
Antek avait quitté le ghetto
six jours avant l'attaque allemande.
Sa mission : obtenir des chefs
de la Résistance polonaise
qu'ils délivrent des armes aux Juifs.
Ils refusèrent.

En fait, moi j'ai quitté le ghetto six jours avant l'insurrection.
Et je voulais rentrer le 19, la veille de Pessah, la veille de la fête.
J'ai écrit à cette époque à Mordechaï Anielewicz et à Zivia.
Zivia, c'était ma femme.
Et j'ai reçu une lettre très polie,
bien élevée de Mordechaï Anielewicz,
et une lettre très agressive de Zivia, ma femme,
qui me disait :
« Tu n'as encore rien fait jusqu'à maintenant.
Tu n'as rien fait. »
Et j'ai tout de même décidé de revenir.
Mais il était trop tard.
A l'époque, je ne savais absolument pas ce qui se préparait dans le ghetto,

au contraire, j'étais loin de me l'imaginer.
Tandis qu'eux, les compagnons de Simha,
savaient bien avant moi tout sur l'encerclement
allemand.

Simha Rottem (dit « Kajik »).

Au moment de Pessah, nous sentions qu'il allait
se passer quelque chose à l'intérieur du ghetto.
On sentait donc la pression.
Le soir de Pessah, les Allemands ont attaqué.
Non seulement les Allemands,
mais également les Ukrainiens,
les Lituaniens,
les policiers polonais,
les Lettons,
toute cette masse est entrée à l'intérieur
du ghetto.
Et nous avons senti que c'était la fin.
Le matin du premier jour de l'entrée des
Allemands dans le ghetto,
l'attaque se déroulait dans le ghetto central.
Nous étions un peu à l'écart, nous n'entendions
que des éclats, des tirs,
l'écho répercuté des balles,
nous savions que le combat était très rude à
l'intérieur du ghetto central.

Pendant les trois premiers jours de combat,
ce sont les Juifs qui avaient le dessus.
Les Allemands ont immédiatement reflué vers la
sortie du ghetto,
emportant des dizaines de blessés.

Dès cet instant, toute leur action était

uniquement lancée de l'extérieur,
par des attaques aériennes et par l'artillerie.
Nous ne pouvions pas résister
aux attaques aériennes
et surtout à la méthode de mettre le feu
au ghetto.

Le ghetto n'était que feu et flammes.

Toute vie disparaissait à la surface du ghetto.
Nous nous étions entièrement réfugiés dans les souterrains, dans les bunkers,
et c'est là que nous engagions nos actions.
Nous engagions nos actions la nuit.
Les Allemands étaient surtout de jour
à l'intérieur du ghetto et se retiraient la nuit,
parce qu'en fait, ils avaient très peur de rentrer dans le ghetto la nuit.

Les bunkers ont été préparés de fait par la population locale et pas par les combattants.
Lorsque nous n'avons plus pu continuer à rester à la surface, dans les rues,
les bunkers nous ont intégrés.
Tous les bunkers se ressemblaient de l'intérieur.
Ce qui frappait surtout, c'était la densité,
nous étions très nombreux,
et surtout la chaleur;
une chaleur si épouvantable qu'on ne pouvait pas respirer,
même une bougie ne pouvait pas brûler
à l'intérieur de ces bunkers.
Et pour pouvoir respirer dans cette chaleur intense,

il fallait parfois se coucher face contre terre.
Le fait que nous,
les combattants,
n'avions pas prévu de refuges souterrains,
prouve bien que nous ne pensions pas rester en vie
après avoir déclenché notre lutte
contre les Allemands.

Je crois que la langue humaine est incapable de décrire l'horreur
que nous avons connue dans le ghetto.
Dans les rues du ghetto,
si nous pouvons encore employer le mot de rue,
parce que il ne restait plus de rues,
nous étions obligés d'enjamber des monceaux de cadavres
qui s'entassaient les uns sur les autres.
Nous n'avions plus de place où passer,
et en dehors de la lutte contre les Allemands,
nous luttions contre la faim, contre la soif,
nous n'avions aucun contact avec le monde extérieur,
nous étions complètement isolés
et coupés du monde.
Nous étions dans un tel état que nous avions fini par cesser de voir la signification même de la poursuite de la lutte.
Nous avons pensé tenter une percée vers le côté aryen de Varsovie, en dehors du ghetto.

Juste avant le 1er mai, on nous a envoyés,
Sigmund et moi,
pour essayer d'entrer en contact dans la partie aryenne de Varsovie avec Antek.

Nous avons fini par trouver un tunnel sous la rue Bonifraterka,
qui permettait d'aboutir dans la partie aryenne de Varsovie.

Le matin très tôt,
nous nous sommes retrouvés soudain dans la rue en plein jour.
Imaginez ce 1er mai ensoleillé,
stupéfaits de nous trouver là au milieu de gens normaux, dans la rue,
et nous qui sortions d'une autre planète.

Immédiatement des gens nous ont sauté dessus,
parce que nous avions certainement l'air très épuisés, maigres,
en haillons.
Il y avait toujours autour du ghetto des Polonais très suspicieux
qui attrapaient des Juifs.
Par miracle, nous avons réussi à leur échapper.

Du côté aryen de Varsovie,
la vie continuait de la façon la plus naturelle
et la plus normale, comme par le passé.
Les cafés fonctionnaient normalement,
les restaurants, les autobus, les trams,
les cinémas étaient ouverts.
Le ghetto était une île isolée au milieu de la vie normale.

Notre tâche était d'entrer en contact
avec Itzhak Zuckermann (Antek)

pour essayer d'entreprendre une opération de sauvetage,
essayer de sauver les quelques combattants
qui pouvaient encore se trouver en vie dans le ghetto.
Nous avons réussi à entrer en contact
avec Itzhak Zuckermann.
Nous avons trouvé deux employés de la Compagnie des égouts.
Dans la nuit du 8 au 9,
nous avons donc décidé de retourner au ghetto
avec un autre camarade, Riszek,
les deux égoutiers, et après le couvre-feu nous avons pénétré dans les égouts.
Nous étions entièrement livrés au bon vouloir de ces deux égoutiers,
puisque eux seuls connaissaient la topographie souterraine du ghetto.
Ils ont, au milieu de notre marche souterraine,
décidé de rebrousser chemin,
ils ne voulaient plus nous accompagner
et il a fallu les menacer de nos armes.
Nous avons progressé à l'intérieur de l'égout,
et à un certain moment l'un des égoutiers nous a dit
que nous nous trouvions sous le ghetto.

Riszek était chargé de garder les deux égoutiers
pour qu'ils ne puissent pas s'évader.
C'est moi qui ai soulevé le couvercle des égouts
pour pénétrer dans le ghetto.

A Mila 18 [1], je les ai manqués en fait d'une journée.

1. Le bunker de Mila 18 était le quartier général de l'Organisation Juive de Combat.

Mon retour s'est déroulé dans la nuit du 8 au 9,
le bunker a été découvert par les Allemands le
matin du 8.
La plupart des survivants du bunker se sont soit
suicidés, soit ont été empoisonnés par les gaz.

Je me suis rendu au bunker de Francziskanska 22.
Il n'y avait personne lorsque j'ai crié le mot
de passe,
et j'ai donc été obligé de continuer
dans le ghetto,
et soudain j'ai entendu une voix de femme qui
appelait du milieu des ruines.
Il faisait nuit, nuit noire,
on ne voyait rien,
rien n'était éclairé,
il n'y avait que des ruines,
des maisons écroulées et je n'entendais
qu'une voix,
il me semblait que c'était vraiment une espèce de
mauvais sort qui était jeté,
une voix de femme qui parlait du fond des
décombres.
Je...
J'ai fait le tour de ces ruines,
je n'avais bien sûr pas regardé ma montre,
mais j'ai l'impression que j'ai bien passé une
demi-heure à faire le tour,
à essayer de la situer d'après ce son de voix
qui me guidait,
et malheureusement je ne l'ai pas trouvée.

Il y avait des incendies ?

On ne peut pas vraiment parler d'incendie,
puisqu'il n'y avait plus de flammes qui montaient.
Cependant, il y avait encore de la fumée
et puis cette horrible odeur de chair roussie,
de gens qui certainement avaient été brûlés vifs.

J'ai donc continué ma route.
Je me suis rendu aux autres bunkers
où je pensais trouver les unités combattantes,
et chaque fois la même histoire se reproduisait :
je lançais le mot de passe, « Jan »...

C'est un prénom polonais, Jan.

Oui.
... Aucune réponse.
Je quittais le bunker pour aller vers un autre bunker,
et après des heures de course à travers le ghetto,
je me suis... je suis retourné en direction
des égouts.

Il était seul, à ce moment-là ?

Oui, j'étais tout le temps seul.
A part la voix de femme dont je vous ai parlé
et un homme que j'ai rencontré au moment où je suis sorti des égouts,
j'étais seul tout au long de mon parcours
du ghetto,
je n'ai rencontré nulle âme qui vive.

Et je me souviens d'un moment
où j'ai ressenti une espèce de tranquillité,
de sérénité,
où je me suis dit :
« Je suis le dernier Juif,
je vais attendre le matin,
je vais attendre les Allemands. »

TABLE

IMPRIMÉ EN FRANCE PAR BRODARD ET TAUPIN
Usine de La Flèche (Sarthe).
LIBRAIRIE GÉNÉRALE FRANÇAISE - 6, rue Pierre-Sarrazin - 75006 Paris.
ISBN : 2 - 253 - 03923 - 3

30/6210/6